中华人民共和国国家标准

烧结厂设计规范

Code for design of sintering plant

GB 50408 - 2015

主编部门：中 国 冶 金 建 设 协 会
批准部门：中华人民共和国住房和城乡建设部
施行日期：2 0 1 5 年 1 0 月 1 日

中国计划出版社

2015 北 京

中华人民共和国国家标准

烧结厂设计规范

GB 50408-2015

☆

中国计划出版社出版

网址：www.jhpress.com

地址：北京市西城区木樨地北里甲11号国宏大厦C座3层

邮政编码：100038　电话：(010) 63906433（发行部）

新华书店北京发行所发行

北京市科星印刷有限责任公司印刷

850mm×1168mm　1/32　3.25印张　83千字

2015年8月第1版　2015年8月第1次印刷

☆

统一书号：1580242·702

定价：20.00元

中华人民共和国住房和城乡建设部公告

第738号

住房城乡建设部关于发布国家标准《烧结厂设计规范》的公告

现批准《烧结厂设计规范》为国家标准，编号为GB 50408—2015，自2015年10月1日起实施。其中，第3.0.6、3.0.13、3.0.14、5.1.2、5.7.1条为强制性条文，必须严格执行。原《烧结厂设计规范》GB 50408—2007同时废止。

本规范由我部标准定额研究所组织中国计划出版社出版发行。

中华人民共和国住房和城乡建设部

2015年2月2日

前　言

本规范是根据住房城乡建设部《关于印发〈2013年工程建设标准规范制订、修订计划〉的通知》(建标〔2013〕6号)的要求,由中冶长天国际工程有限责任公司会同有关单位,共同在原国家标准《烧结厂设计规范》GB 50408—2007的基础上修订完成的。

在修订过程中,编制组广泛调查研究,认真总结实践经验,参考有关国际标准和国外先进标准,并在广泛征求意见的基础上,最后经审查定稿。

本规范共分12章,主要技术内容包括:总则,术语,基本规定,原料、熔剂、燃料及其准备,烧结工艺,烧结设备,节能与环保,电气与自动化,辅助设施,成品烧结矿质量、计量、检验、化验与试验,设备检修,安全、工业卫生与消防。

本次修订的主要内容:

1.增加了余热回收、烟气循环烧结工艺等术语;

2.增加了高原地区烧结厂设计的规定;

3.对烧结工艺与设备的规定做了大的修改,并将烧结工艺和设备分开规定;

4.对环境保护的规定作了修改,对能源与节能章节做了补充,并将节能与环境保护进行合并规定;

5.增加了总图运输、除尘、通风、空调、采暖、给水、排水、压缩空气及其他气体供应、建筑、结构等辅助设施内容;

6.对计量的内容做了补充。

本规范中以黑体字标志的条文为强制性条文,必须严格执行。

本规范由住房城乡建设部负责管理和对强制性条文的解释,由中冶长天国际工程有限责任公司负责具体技术内容的解释。在本规范的执行过程中，请各单位结合工程实践，认真总结经验，积累资料，如发现需要修改或补充之处，请及时将意见和有关资料寄交中冶长天国际工程有限责任公司科技质量部（地址：湖南省长沙市劳动中路1号，邮政编码：410007），以便今后修订时参考。

本规范主编单位、参编单位、主要起草人和主要审查人：

主编单位：中冶长天国际工程有限责任公司

参编单位：国家烧结球团装备系统工程技术研究中心

宝山钢铁股份有限公司

武汉钢铁股份有限公司

宝钢集团广东韶关钢铁有限公司

新余钢铁股份有限公司

中冶北方工程技术有限公司

中冶华天工程技术有限公司

鞍山钢铁集团公司

主要起草人：陈乙元 易曙光 何国强 王根成 叶恒棣 谭克强 王菊香 朱晓春 孙文东 毛晓明 冯国辉 严 幸 汪力中 叶学农 杨熙鹏 蔡智明 王赛辉 陈猛胜 刘相佩 谌浩渺 刘昌齐 冯先德 刘再新 李 良 罗政书 杨 丽 张世祖

主要审查人：郭启蛟 王维兴 季守军 刘道林 姜 涛 范晓慧 郑绥旭 王学群 戴传德

目　　次

Contents

1 总　　则

1.0.1 为保证烧结工程设计质量，实现技术先进、经济合理、安全适用、节能减排、循环利用，制定本规范。

1.0.2 本规范适用于各种类型铁矿石烧结厂的新建和改造设计。

1.0.3 烧结厂设计除应符合本规范外，尚应符合国家现行有关标准的规定。

2 术 语

2.0.1 原料 raw materials

指含铁原料，为烧结使用的铁粉矿、铁精矿及其他含铁料的总称。

2.0.2 熔剂 flux

石灰石、白云石、蛇纹石、生石灰、消石灰、轻烧白云石粉、菱镁石等碱性物质及硅砂等增硅熔剂的总称。

2.0.3 燃料 fuel

焦粉、无烟煤、燃气的总称。焦粉、无烟煤又称固体燃料。

2.0.4 混匀料场 blending yard

原料预配、堆积混匀和存放的场地。

2.0.5 混匀矿 blended ores

理化性能不一的原料经预配料、堆积混匀后达到预计的理化性能均一的原料。

2.0.6 烧结 sintering

含铁原料加入熔剂和固体燃料，按要求的比例配合、加水混合制粒后，平铺在烧结机台车上，经点火抽风烧结成块的过程。

2.0.7 利用系数 sintering machine productivity

单位烧结面积成品烧结矿的小时产量，以 $t/(m^2 \cdot h)$表示。

2.0.8 自动重量配料 automatic weight proportioning

所需的含铁原料、熔剂、固体燃料等按重量配比自动调节各种物料给定量的方法。

2.0.9 燃料分加 divided fuel addition

固体燃料在配料室和制粒后分别加入混合料中的方法。

2.0.10 混合料 mixture

含铁原料、熔剂、固体燃料和添加水经过混合并制粒后的产品。

2.0.11 铺底料　　hearth layer

在烧结台车布料前先铺上的一层垫底料。

2.0.12 料层厚度　　bed depth

生产时，烧结机台车上的混合料与铺底料厚度之和。

2.0.13 料层透气性　　permeability

铺在烧结机上的混合料，在一定的料层厚度和负压情况下，单位烧结面积每分钟通过的风量。

2.0.14 小球烧结　　minipellet sintering

将混合料制成大于 3mm 占 75% 以上的小球进行烧结的方法。

2.0.15 低温烧结　　low temperature sintering

以低于 1280℃的温度烧结，产生一种强度高、还原性好的针状铁酸钙为主要粘结相的烧结方法。

2.0.16 热风烧结　　hot gas sintering

将冷却机的热废气引入位于点火炉后的烧结机密封罩内进行烧结的方法。

2.0.17 烧结饼　　sinter cake

烧结完成后形成的物料。

2.0.18 热返矿　　hot return fines

烧结饼经热矿破碎和筛分后所得的粒径小于 5mm 的筛下物。

2.0.19 机外冷却　　off-strand cooling

烧结饼破碎后，在烧结机外的冷却机中进行的冷却。

2.0.20 机上冷却　　on-strand cooling

烧结饼在烧结机上进行的冷却。

2.0.21 烧结矿整粒　　sinter sizing

烧结矿冷却后进行筛分整粒，分出高炉要求粒度范围的成品烧结矿、烧结用的铺底料以及返矿的过程。

2.0.22 冷返矿 cold return fines

烧结矿冷却后筛分整粒所分出的粒径小于5mm的返矿。

2.0.23 高碱度烧结矿 high basicity sinter

碱度(CaO/SiO_2)为1.7以上的烧结矿。

2.0.24 炉料结构 burden design

高炉炼铁时装入高炉的含铁炉料的构成,即块矿、烧结矿和球团矿等各种炉料的搭配组合。

2.0.25 主电气楼 main electrical building

设置变配电设备、自动控制设备的厂房。

2.0.26 主控室 main control room

对生产过程和设备进行集中操作、监控、生产组织和指挥控制的中心。

2.0.27 余热回收 waste heat recovery

对烧结、冷却过程中产生的热废气及其他热量进行回收利用的过程。

2.0.28 烟气循环烧结工艺 sintering process of flue gas re-circulation

将烧结生产过程中产生的部分热烟气返回烧结料面再次利用的烧结工艺。

3 基本规定

3.0.1 开展烧结厂设计应有充分的设计依据和完整的设计基础资料及环境影响评价报告。

3.0.2 烧结厂厂址宜选择在钢铁公司内且靠近高炉与原料混匀料场，并应考虑地形、工程地质、水文、地震、环境保护及历史上的洪水标高、气象、自然、生态和社会经济环境、工业交通、区域经济以及钢铁公司生产要求等因素。

3.0.3 烧结厂总图布置应流程顺畅、紧凑、利用地形、节约用地、减少土石方量，并应根据规划需要确定是否预留发展余地。

3.0.4 烧结厂规模的确定，应在原料落实的基础上，根据公司发展规划和高炉炉料结构对烧结矿的数量和质量要求确定，并应考虑富余能力。

3.0.5 烧结机的规模划分应符合下列条件：

1 大型：烧结机单机使用面积等于或大于 $360m^2$；

2 中型：烧结机单机使用面积等于或大于 $200m^2$ 且小于 $360m^2$；

3 小型：烧结机单机使用面积等于或大于 $180\ m^2$ 且小于 $200m^2$。

3.0.6 新建和改造烧结厂烧结机单机使用面积不应小于 $180m^2$。

3.0.7 大中型烧结机应采用带式烧结机。

3.0.8 烧结试验应符合下列规定：

1 对常用的含铁原料只进行烧结杯试验，包括优化配矿试验等；若有类似条件的试验或生产数据，也可不进行试验；

2 对复杂或尚无生产实践的含铁原料及特殊的工艺流程，宜在烧结杯试验的基础上，再进行半工业性试验或工业性试验。

3.0.9 烧结机利用系数应符合下列规定：

1 铁粉矿含量等于或大于70%时，烧结机利用系数应等于或大于1.35t/(m^2·h)；

2 铁精矿含量大于50%时，烧结机利用系数应等于或大于1.25t/(m^2·h)；

3 以钒钛矿、褐铁矿、菱铁矿为原料时，应通过试验或实际生产指标进行确定。

3.0.10 烧结厂的工作制度应按连续工作制进行设计。

3.0.11 烧结厂日历作业率宜取92%～95%。

3.0.12 烧结厂设计应采用先进、安全可靠、节能和环保型的设备。辅助设备的规格和性能应与生产规模相适应。

3.0.13 严禁采用国内外淘汰的二手烧结生产设备。

3.0.14 开展烧结厂设计时必须同时开展余热回收和脱硫设计。

3.0.15 开展烧结厂设计时宜同时开展脱硝设计，并应满足国家氮氧化物排放标准要求。

3.0.16 烧结厂设计时不应选取在烧结过程中容易产生二噁英物质的烧结原料。

4 原料、熔剂、燃料及其准备

4.1 原料、熔剂及燃料入厂条件

4.1.1 原料进入烧结厂应符合下列条件：

1 含铁原料的粒度宜为8mm～0，轧钢皮和钢渣的粒度应分别小于8mm和5mm；特殊铁粉矿和铁精矿的粒度要求应根据试验确定；

2 含铁原料应混匀，混匀矿铁品位波动的允许偏差宜为±0.5％；SiO_2波动的允许偏差宜为±0.2％；

3 磁铁精矿水分应小于10％，赤铁精矿水分应小于11％。

4.1.2 熔剂进入烧结厂宜符合下列规定：

1 石灰石粒度宜为80mm～0，CaO含量不宜小于52％，SiO_2含量不宜大于2.2％，水分宜小于3％；

2 生石灰粒度宜小于或等于3mm，CaO含量宜等于或大于85％；

3 消石灰粒度宜小于或等于3mm，水分宜为18％～20％，CaO含量宜等于或大于60％；

4 白云石粒度宜为80mm～0，水分宜小于4％，MgO含量宜等于或大于19％，SiO_2含量宜小于或等于3％；

5 蛇纹石粒度宜为40mm～0，水分宜小于5％，(CaO＋MgO)含量宜大于35％；

6 轻烧白云石粉粒度宜为3mm～0，CaO含量宜等于或大于52％，MgO含量宜等于或大于32％，SiO_2含量宜小于或等于3.5％；

7 菱镁石粒度宜为80mm～0，水分宜小于4％，MgO含量宜等于或大于19％，SiO_2含量宜小于或等于3％。

4.1.3 燃料进入烧结厂应符合下列规定：

1 碎焦粒度宜为25mm～0，固定碳含量宜大于80%，水分宜小于12%；

2 无烟煤粒度宜为40mm～0，水分宜小于10%，灰分宜小于15%，挥发分宜小于5%，S宜小于1%，固定碳宜大于75%；

3 烧结点火用燃料宜采用焦炉煤气、天然气、转炉煤气、高炉煤气或其他气体燃料。采用焦炉煤气、天然气、转炉煤气及混合煤气作点火燃料时，烧结冷却室附近煤气压力不应低于4000Pa，采用高炉煤气作点火燃料时，烧结冷却室附近煤气压力不应低于7000Pa。各种煤气含尘量均宜小于$10mg/m^3$。

4.2 原料、熔剂、固体燃料的接受与贮存

4.2.1 原料场有混匀料场时，烧结厂不宜再设原料仓。

4.2.2 在多暴雨、多台风或严重冰冻地区，混匀料场宜室内设置。

4.2.3 大、中型烧结机的大宗物料受料宜采用翻车机；轧钢皮等小批量受料宜采用受料槽，并宜设机械化卸料装置。

4.2.4 卸料不宜采用抓斗桥式起重机卸车方式。

4.2.5 采用汽车运输时，可设专用汽车受料槽。

4.2.6 翻车机室和受料槽的地下建筑部分应设防水、排水及通风除尘设施。

4.2.7 经料场混匀的原料宜由胶带输送机直接送至烧结配料槽。生石灰、轻烧白云石宜由密封罐车运至配料室并采用气力输送方式送至配料槽内。生石灰焙烧厂邻近烧结厂时，可直接将生石灰采用气力输送方式送至烧结配料槽。

4.2.8 石灰石、白云石和固体燃料在烧结厂加工时应设熔剂仓和燃料仓。有专用运输线时贮存时间宜为3d～5d，无专用运输线时宜为5d～7d。熔剂、燃料在料场贮存时间宜为7d～10d，料场到烧结厂设有专门输送胶带时，烧结厂贮存时间不宜少于12h。

4.2.9 北方地区的原料接受和贮存系统宜设防冻、解冻设施。

4.3 熔剂和固体燃料的准备

4.3.1 固体燃料破碎筛分宜设在烧结厂，石灰石、白云石宜成品采购。

4.3.2 石灰石、白云石需在烧结厂破碎时，应采用闭路破碎筛分流程。

4.3.3 配料的石灰石、白云石的最终粒度小于3mm的应占90%以上，且大于5mm的含量应小于5%。

4.3.4 当碎焦粒度为25mm～0时，应采用两段开路破碎流程。粒度小于10mm、水分含量小于10%，且小于3mm粒级的碎焦含量占30%以上时，可采用预先筛分、一段开路破碎流程。粒度大于25mm粒级含量占10%以上时可采用预先筛分分出大块，再用二段开路破碎流程。

4.3.5 无烟煤破碎，可根据粒度、水分等具体条件采用二段开路破碎流程，小于3mm粒级含量占30%以上且水分含量小于10%时，可在一段破碎前增加预先筛分流程。

4.3.6 采用铁精矿粉时，碎焦和无烟煤加工的最终粒度小于3mm的应分别占85%以上和75%以上。全部采用进口粉矿时，碎焦和无烟煤加工的最终粒度小于3mm的宜分别占75%和65%以上。

4.3.7 不同品种或理化性能相差较大的固体燃料，应分开破碎。

4.3.8 固体燃料的破碎应避免采用易于产生过粉碎的破碎设备。

4.3.9 石灰石、白云石和固体燃料破碎前应设除铁装置。

5 烧结工艺

5.1 工艺流程

5.1.1 烧结工艺流程应以生产过程稳定、产品质量优良、资源综合利用、节能减排、安全及清洁生产、环境友好为原则，并应根据规模、原料、燃料和熔剂条件及其运输接受方式，产品方案、内部物流及其运输方式，试验结论，设备制造情况，日常维护等确定。

5.1.2 严禁采用热矿烧结工艺。

5.2 配　　料

5.2.1 配料系列数的确定，应和烧结机一对一设置。

5.2.2 原料、熔剂和固体燃料应采用自动重量配料。

5.2.3 配料槽应能贮存8h以上的使用量。

5.2.4 配料槽格数应根据配料量及配料设备能力确定，主要含铁原料不应少于3格，辅助原料宜为每种2格，配料量小的也可采用1格两个下料口。

5.2.5 主要含铁原料和黏性小的物料应首先进行配料，燃料不宜放在最前配料。

5.2.6 烧结和高炉返矿宜分别配料。

5.2.7 配料中应添加生石灰或消石灰作熔剂；添加数量应根据原料条件、试验结论等具体情况确定。

5.2.8 生石灰消化设施的设置，应根据原料条件、试验结论、环保要求、生石灰配加量及采用的混合制粒时间确定。

5.2.9 回收的粉尘在配料集中处理时，宜对粉尘进行加湿处理。

5.3 加水、混合与制粒

5.3.1 以铁粉矿为主要原料时应采用二段混合。以铁精矿为主要原料时若采用小球烧结法可设三次混合进行固体燃料外滚。

5.3.2 采用圆筒混合机时，总混合制粒时间宜为 5min～9min。以铁粉矿为主要原料时宜取下限值；以铁精矿为主要原料时，包括固体燃料外滚的制粒时间宜取中上限值。

5.3.3 圆筒混合机充填率，一次混合机宜为 10%～16%，二次混合（制粒）机宜为 9%～15%。

5.3.4 一次圆筒混合机与二次圆筒混合机宜设置于地面。

5.3.5 圆筒混合机与给料胶带机宜采用顺交方式配置。

5.3.6 中、小型烧结机滚煤机宜设置在烧结冷却室的高层平台。

5.3.7 外滚煤的粒度应小于 3mm。

5.3.8 混合料添加水应实行自动检测与控制。

5.3.9 混合料宜进行加热处理，加热介质可为热水、蒸汽。热水应加入混合机、制粒机内；蒸汽宜加入滚煤机及混合料矿槽内。

5.4 布料、点火与烧结

5.4.1 大、中型带式烧结机的布料应采用偏析布料方式。

5.4.2 烧结机规格应与高炉匹配并大型化。

5.4.3 烧结冷却室内大型烧结机宜设置 1 台，中、小型烧结机不应超过 2 台。

5.4.4 烧结机应设铺底料设施，铺底料贮存时间宜为 1h～2h。铺至烧结机台车上的铺底料厚度宜为 20mm～40mm。

5.4.5 大、中型烧结机设计应采用厚料层烧结，其料层厚度（包括铺底料厚度）以铁精矿为主时，宜等于或大于 600mm，以铁粉矿为主时宜等于或大于 700mm。

5.4.6 采用热风烧结时宜采用无动力供热风方式。

5.4.7 采用菱铁矿、褐铁矿烧结时，宜在点火前设干燥段预热混合料。

5.4.8 混合料点火温度宜为1050℃～1200℃，特殊原料点火温度应根据试验确定。点火时间宜为1min～1.5min。大中型烧结机点火用燃料宜采用本规范第4.1.3条第3款所述的各种煤气，不宜采用煤粉和重油点火。采用焦炉煤气、天然气为点火燃料时煤气单耗宜小于或等于0.065GJ/t-s。采用转炉煤气为点火燃料时煤气单耗宜小于或等于0.08GJ/t-s。采用高炉煤气为点火燃料时宜采用煤气、空气双预热点火保温炉，煤气单耗宜小于或等于0.16GJ/t-s。

5.4.9 烧结饼破碎后粒度应小于或等于150mm。

5.4.10 烧结工艺宜取消热矿筛。

5.4.11 有热返矿时，宜在烧结机尾直接参加配料，并应将热矿筛偏离矿槽中心。

5.5 烧结抽风与烟气净化

5.5.1 烧结主抽风机平均风量宜取90±5m^3(工况)/(m^2·min)，以褐铁矿、菱铁矿为主要原料时可超过95 m^3(工况)/(m^2·min)。

5.5.2 抽风机压力应根据原料性质、料层厚度、篦条和管道及除尘器阻力、海拔高度确定。大、中型烧结机主抽风机前的负压宜取16kPa～18kPa。

5.5.3 烧结烟气除尘应采用二段进行，第一段应为降尘管，第二段应为除尘器。大型烧结机宜设双降尘管。

5.5.4 大中型烧结机头部采用电除尘器时，降尘管应设有烟气温度自动调节装置。

5.5.5 降尘管的卸灰装置宜采用双层卸灰阀。

5.5.6 烟囱高度应通过计算并结合实际确定。

5.5.7 高原地区主抽风机应根据当地的大气压力和大气中的含氧量选型，电机功率应根据当地电机效率确定。

5.5.8 采用烟气循环时，应根据循环烟气的含氧量和压力要求确定。

5.5.9 烧结热烟气宜进行余热利用，并应根据烧结烟气露点温度确定热烟气的利用量。

5.5.10 新建烧结机应同步配套机头烟气净化设施，烟气净化设施宜联合脱除烟气中的多种污染物，如SO_2、NO_x、粉尘、氟化物、重金属、二噁英等。烟气净化系统应运行稳定，副产物应能合理利用，且不应造成二次污染。

5.5.11 烟气综合治理应符合现行国家标准《钢铁烧结、球团工业大气污染物排放标准》GB 28662 的有关规定。

5.5.12 大中型烧结机头部采用电除尘器时，第三和第四电场的除尘灰处理措施应根据粉尘成分对烧结矿质量的影响程度确定，可设粉尘外排系统。

5.6 烧结矿冷却

5.6.1 烧结矿冷却宜选用机外冷却。对于褐(菱)铁矿，也可选用机上冷却。

5.6.2 大中型烧结机宜采用鼓风环式冷却机，鼓风环式冷却机布置困难时，也可采用鼓风带式冷却机。

5.6.3 环式冷却机漏风率宜小于10%。

5.6.4 冷却机的布料宜采用粒度分级偏析布料技术；鼓风式环冷机布料厚度宜为1400mm～1500mm。

5.6.5 采用鼓风冷却方式时，冷却面积与烧结面积之比宜为0.9～1.2；采用机上冷却方式时，冷却面积与烧结面积之比宜为0.9～1.0。

5.6.6 鼓风式冷却机的冷却风量宜按每吨烧结饼2200m^3～2500m^3选取，冷却时间宜为60min。

5.6.7 冷却机卸出的烧结矿平均温度应小于150℃。

5.6.8 冷却机热废气应进行余热利用，热废气的利用量宜大于40%。

5.7 烧结矿整粒

5.7.1 烧结厂设计应采用烧结矿整粒与分出铺底料工艺。

5.7.2 整粒流程应根据建设场地、烧结矿性能和高炉要求等因素确定。50mm以上粒级含量小于10%时，不宜采用烧结矿冷破碎设备，仅设三段冷筛分工艺，筛分设备宜采用振动筛。机上冷却的整粒可按具体条件确定。

5.7.3 设置烧结矿冷破碎设备时，应采用双齿辊破碎机，并应设四次冷筛分工艺，一次筛分应为固定筛，二、三、四次筛分应为振动筛。烧结矿冷破碎前应设自动除铁装置。

5.7.4 无冷破碎时，烧结矿粒度宜为150mm～5mm，其中：粒度大于50mm的烧结矿含量宜小于或等于8%，粒度小于5mm的烧结矿含量宜小于或等于5%；有冷破碎时，烧结矿粒度宜为50mm～5mm，粒度大于50mm的烧结矿含量宜小于或等于5%，粒度小于5mm的烧结矿含量宜小于或等于5%。

5.7.5 铺底料粒度宜为20mm～10mm。

5.7.6 返矿粒度宜小于5mm。

5.7.7 烧结矿整粒系统宜根据条件设置备用系列，或备用筛分设备。

5.8 成品烧结矿贮存与运输

5.8.1 烧结矿应设置直接送至高炉矿槽的运输系统，同时应设贮存设施。烧结矿贮存根据不同情况，可在原料场贮存，也可设成品矿仓贮存。原料场宜满足3d～7d的烧结矿贮存量，矿仓宜满足8h～12h的烧结矿贮存量。

5.8.2 烧结矿产量应为烧结厂输出的成品烧结矿量。

6 烧结设备

6.1 配料设备

6.1.1 含铁原料的配料设备宜选用圆盘给料机加电子皮带秤或直拖式定量给料秤。

6.1.2 熔剂、燃料及返矿的配料设备宜选用直拖式定量给料秤或圆盘给料机加电子皮带秤。

6.1.3 生石灰、轻烧白云石的配料设备宜采用调速星形卸灰阀加电子皮带秤加环保型消化器,或变频双轴螺旋给料机加螺旋秤加环保型消化器。

6.2 混合、制粒设备

6.2.1 混合设备宜采用圆筒混合机或强力混合机。混合设备采用强力混合机时,其给料胶带机上宜设除铁装置。

6.2.2 制粒设备宜采用圆筒制粒机或圆盘造球机。

6.2.3 采用圆筒混合机时圆筒转速应控制在临界转速内,一次混合时间宜为 1.5min～3min,充填率宜为 10%～16%,二次混合(制粒)时间宜为 3.5min～6min,充填率宜为 9%～15%。

6.3 烧结、冷却设备

6.3.1 大、中型带式烧结机的布料设备应采用梭式布料机、缓冲矿槽、圆辊给料机和辊式布料器或其他布料装置。采用小球烧结法时,可采用摇头皮带机或梭式布料机、宽胶带机和辊式式料器或其他偏析布料器。

6.3.2 带式烧结机头部和尾部应采用星轮装置,尾部应采用水平移动架,风箱端部宜采用整板浮动式密封装置。烧结机漏风率宜小于25%。

6.3.3 烧结点火应采用节能型点火保温炉设备。

6.3.4 烧结主除尘宜采用四电场卧式干法电除尘器。主电除尘器断面面积宜按风速0.8m/s～0.9m/s选取，大型电除尘器宜采用部分高频电源。

6.3.5 烧结主抽风机压力应根据原料性质、料层厚度、篦条和管道及除尘器阻力、海拔高度确定。大型烧结主抽风机宜采用变频运行方式。

6.3.6 环式冷却机宜采用漏风率小于10%的设备。

6.3.7 烧结饼破碎应采用剪切式单辊破碎机。

6.4 烧结矿整粒设备

6.4.1 烧结矿筛分应采用筛分效率高、能耗低、运行可靠、使用寿命长、质量好、体积小、重量轻的设备。

6.4.2 烧结矿的筛分设备应根据工艺布置要求选择各次振动筛的筛孔尺寸和筛分效率。筛分大于18mm～20mm粒级时，振动筛的筛分效率宜等于或大于80%；筛分铺底料时，振动筛的筛分效率宜等于或大于70%；筛分返矿时，振动筛的筛分效率应等于或大于90%。一次筛分的筛孔为10mm～12mm时，振动筛的筛分效率应等于或大于90%。

6.4.3 烧结矿冷破碎设备宜采用双齿辊破碎机，破碎前宜采用固定条筛筛出大于50mm粒级的烧结矿进入破碎机。

7 节能与环保

7.1 节　　能

7.1.1 烧结厂工序能耗设计指标，应以每吨成品烧结矿所消耗的千克标准煤计，并应符合国家现行标准《清洁生产标准》HJ/T 426～428 和《钢铁企业节能设计规范》GB 50632 的有关规定。烧结机的能耗指标应根据烧结机的规格大小、原料的种类、厂址海拔的高低综合取值，新建烧结机的工序能耗应达到一级水平，其工序能耗应小于或等于 47kgce/t。

7.1.2 烧结厂设计应采用先进节能的烧结新工艺、新技术和新设备。

7.1.3 固体燃料的破碎不应选用易于产生过粉碎的设备，燃料的平均粒度应达到 1.2mm～1.5mm。

7.1.4 含铁原料、熔剂、燃料应采用自动重量配料。

7.1.5 烧结配料过程中宜添加生石灰或消石灰做熔剂，并应优先选择生石灰。

7.1.6 烧结料混合过程中宜采用蒸汽、热水预热混合料。

7.1.7 包括设有固体燃料外滚时间在内的混合制粒时间宜取 5min～9min，并应采用高效混合制粒设备。

7.1.8 成品筛分中应控制返矿粒度小于或等于 5mm。

7.1.9 烧结过程中应选择匹配的单位烧结面积的风量和主抽风机前的负压，不应选用过大的主抽风机。

7.1.10 烧结烟气除尘应采用干式高效除尘器。

7.1.11 主抽风机宜采用变频调速。

7.1.12 烧结厂应进行余热利用设计。余热利用宜采用热风点火、热风烧结、生产蒸汽、生产热水、发电等方式，冷却机余热锅炉宜采用直联炉罩式余热锅炉。

7.2 环　保

7.2.1 设计应贯彻清洁生产标准要求，并应满足现行国家标准《钢铁烧结、球团工业大气污染物排放标准》GB 28662 的要求，应使用清洁的能源和原料，且应采用先进的工艺技术与设备。

7.2.2 烧结烟气中有害气体（SO_x、NO_x）的控制，应符合下列规定：

1 烟气有害气体浓度低，高空稀释后能达到标准时，应采用高烟囱排放；

2 烟气中有害气体超过国家、行业和地方规定的排放标准，或在建设地区大气环境容量不允许的情况下，应采取有效措施进行治理；

3 引进的技术与装置，有害气体排放标准应达到或高于国内标准。

7.2.3 防尘与除尘，应符合下列规定：

1 工艺布置应减少物料的转运次数并降低其落差，减少扬尘量；

2 应采用粉尘产生量少的工艺、技术和设备；

3 对生产过程中产生或散发的粉尘应采取密封和收尘措施；

4 对废弃物的处理与堆存应防止风吹、雨淋、挥发、自燃等各种因素造成的二次污染与危害；

5 钢铁公司的含铁粉尘泥渣应单独处理后由烧结厂回收利用；

6 环境收尘应采用袋式除尘器、电除尘器或其他形式的高效除尘设备；

7 产生大气污染物的生产工艺装置应设立局部气体收集系统和集中净化处理装置。所有排气筒高度不应低于 15m。排气筒周围半径 200m 范围内有建筑物时，排气筒高度还应高出最高建筑物 3m 以上。

7.2.4 污水处理，应符合下列规定：

1 烧结厂设计不应采用水冲地坪，应采用洒水清扫方式；

2 烧结厂应无生产污水、废水排放；

3 生活污水应经处理后达标排放。

7.2.5 噪声防治，应符合下列规定：

1 设计应选用低噪声工艺和低噪声设备；

2 按照工业企业厂界噪音标准，对高噪声设备应采取消声、减振或隔声等防治措施。

7.2.6 烧结厂设计应同时留有厂区绿化空间。

7.2.7 烧结厂环保设施应与主体工程同时设计、同时施工、同时投产。

8　电气与自动化

8.1　电　　气

8.1.1　新建或改、扩建烧结机宜设置主电气楼，主电气楼宜布置在烧结冷却室附近并相互连通。按二级负荷供电时，应由两回路或更多回路同级电压供电；同时供电的两回路及更多回路的供配电线路中一回路中断供电时，其余回路应能满足全部二级负荷用电的要求。

8.1.2　厂内高压配电系统宜采用放射式配电型式；变电所及配电室的高压及低压母线宜采用单母线或分段单母线结线方式，分段处应装设断路器。高压配电室向变压器配电的出线开关应采用高压真空断路器；向高压电动机配电的出线开关应采用高压真空断路器或高压真空接触器及熔断器组(F-C 回路)。厂内高压配电系统宜选用 D、Yn11 结线组别的三相配电变压器。

8.1.3　主抽风机宜采用同步电动机并宜采用软起动方式。当采用高压变频调速装置对主抽风机进行调速时，宜采用异步电动机。需要调速的设备宜采用交流变频调速装置。需频繁换向的电动机控制装置，宜采用无触点开关或交流变频器。

8.1.4　主工艺流程设备宜采用可编程控制器(PLC)控制系统，且应采用系统集中控制和单机操作方式，部分设备宜采用远程单机控制。

8.1.5　全厂应采用绿色照明设计。

8.1.6　烧结厂电气设计应实现优化供电，不得采用落后电机和变压器。

8.2　自　动　化

8.2.1　新建的大中型烧结厂应采用 EIC 三电一体的计算机控制

系统，所有的过程检测参数和设备运转状态均应纳入计算机控制系统。主要的工艺过程应进行自动控制和调节。应在电气楼设置对整个烧结主工艺系统进行操作、监视、控制、报警和管理的主控室。在其他变电所设置远程站，各远程站间应以数据通信方式传达信息。过程计算机控制系统应留有与上位机的通信接口，需要时可采用上位机管理。

8.2.2 烧结厂应设置行政电话、生产调度电话，并宜采用指令对讲扩音通信、无线对讲通信。对火灾自动报警装置宜采用区域型报警系统，且火灾报警系统应与主要消防设备联动。对重要的工艺过程环节，应采用工业电视系统进行监控。

8.2.3 烧结控制系统应与钢铁公司能源管控中心联接。

9 辅助设施

9.1 总图运输

9.1.1 烧结厂厂址宜选择在钢铁公司内，且宜靠近炼铁厂，并应节约用地和有利于保护环境。

9.1.2 烧结厂总平面布置应在满足工艺流程和防火、防爆要求的前提下，做到物流顺捷、布置紧凑、功能明确。

9.1.3 有大型设备的车间，应留有足够的场地满足其运输、安装和检修要求。

9.1.4 除尘、电力、给水等辅助设施应靠近负荷中心布置。辅助车间能合并的宜合并设置。

9.1.5 竖向布置应与总平面布置统一确定，并应与厂内相关铁路、道路、排水系统、厂区周围场地标高相适应，并应保证厂区排水畅通，防止洪涝灾害。负荷大的主要建筑物宜布置在土质均匀和地基承载力较高的地段。对于地形高差较大的厂区，宜按烧结厂功能多台阶布置。

9.1.6 厂区管线宜采用共沟、共架方式综合布置，并应满足防火、防爆的要求。

9.1.7 总平面布置应综合考虑绿化用地，可绿化的非建筑用地应进行绿化。

9.1.8 厂区内应设置通畅的道路系统，道路系统应满足运输、消防、卫生、安全、管线敷设要求。厂内道路宜采用环形布置，并宜与车间轴线平行布置，不能形成环形布置的尽头道路应设置回车场地。

9.1.9 进厂道路和主要道路宜采用双车道，用地紧张无条件采用双车道时，采用单车道宽度不宜小于4.0m。厂内道路宜采用城市型道路，道路标高应与车间标高相适应，保证车间运输要求和有利于排水。

9.2 除尘、通风、空调、采暖

9.2.1 在运输、贮存和生产过程中产生粉尘的各扬尘点，均应设除尘设施。除尘系统应降低漏风率和减少二次扬尘。

9.2.2 燃料及熔剂宜分别独立设置除尘系统。燃料除尘系统应采用袋式除尘器，除尘器的滤料应具有防静电功能；熔剂除尘系统宜采用袋式除尘器或电除尘器。

9.2.3 原料、配料、烧结及冷却、整粒和成品矿槽的除尘系统，宜根据其工序特点和粉尘性质采取集中处理方式，不具备条件时可每个工序独立设置除尘系统；除尘系统宜采用袋式除尘器或电除尘器。

9.2.4 除尘器收集的粉尘宜进入配料系统回收利用，但当工艺有要求时，也可采用粉尘外运的方式。

9.2.5 除尘器前的除尘管道在输送烧结矿、返矿、铺底料及焦粉的含尘气体时，其易受冲刷部位应采取耐磨措施。

9.2.6 烧结工艺采用二套或二套以上烧结系列布置时，各除尘系统宜与烧结系列对应设置。

9.2.7 烧结室的高温岗位，宜设置移动式喷雾轴流风机进行通风降温。

9.2.8 地下通廊及其他地下构筑物应设机械通风，换气量宜按每小时3次～5次的换气次数计算。

9.2.9 建筑物通风系统设计应符合现行国家标准《采暖通风与空气调节设计规范》GB 50019的有关规定。

9.2.10 厂区内对温度有要求的房间均应设置空调。

9.2.11 需要设置采暖的工程，其采暖设计应符合以下规定：

1 工艺燃料系统的厂房内，应采用光滑易清扫的散热器。散热器入口处的热媒温度，热媒为热水时，不宜超过130℃；热媒为蒸汽时，不宜超过110℃。输煤通廊的散热器入口处的热媒温度不应超过160℃。

2 采暖管道不应穿过变压器室，不宜穿过电气设备间，若必须穿过时，应采用焊接连接方式。

3 电气控制室和配电室内的采暖设施宜采用电采暖，也可采用焊接连接、无阀门连接的采暖管道和散热器。

4 采暖地区工艺的原料系统、燃料系统、混合料系统的室内环境温度不宜低于5℃。

9.3 给水、排水

9.3.1 烧结厂设计应有工业和生活给水、排水设施和消防给水设施。

9.3.2 生产给水的水量、水质应满足生产要求。生产新水的悬浮物应小于30mg/L。生活用水的水质应符合现行国家标准《生活饮用水卫生标准》GB 5749的有关规定。

9.3.3 烧结厂应设循环给水系统，循环水利用率不应低于97%。循环冷却水系统应设水质稳定处理设施，并宜设水温、水压、电导率等在线检测设施。

9.3.4 混合机添加水应优先采用回用水。当混合机添加水需要添加热水时，应优先考虑利用余热。

9.3.5 烧结厂应设置室内、室外消防给水系统，系统的设置应符合现行国家标准《钢铁冶金企业设计防火规范》GB 50414的有关规定。

9.3.6 生产车间、转运站及通廊的室内地坪清洁卫生，应采用洒水清扫地坪，洒水宜采用回用水。

9.3.7 为调节生产用水宜设置高位水箱，高位水箱应设在烧结厂最高建筑物的顶层。

9.3.8 煤气管道排水器的排水应收集后集中处理。

9.4 压缩空气设施

9.4.1 烧结工程生产所需压缩空气宜由自建压缩空气站供应，若由外部气源供应，则送至厂区交接点处的压力不应小于0.65MPa。

9.4.2 压缩空气干燥装置的选择，应根据用气品质要求与气量、当地气象条件、压缩机类型，经技术经济比较后确定。在满足用气设备露点要求的前提下，宜选用冷冻式干燥器；当用气露点要求低于3℃时，应选用吸附式干燥器；离心压缩机干燥设备宜选用余热再生型吸附式干燥器。

9.4.3 对生石灰、粉尘气力输送等用量大的间断用气用户，应就近设置储气罐或其他稳压装置。

9.4.4 螺杆压缩机宜采用联动控制，站房宜实行无人值守。

9.4.5 风冷空气压缩机的空气冷却风宜排至室外。寒冷地区，冷却风进风管应设阀门。

9.4.6 压缩空气供气主管应设压力、流量在线检测仪表，检测数据应上传至主控制室。

9.4.7 压缩空气设施的设计，除应执行本规范外，尚应符合国家现行有关标准的规定。

9.4.8 2台及以上烧结机宜采用集中空压站供气。

9.5 建筑、结构

9.5.1 烧结厂厂房应根据生产工艺、使用功能、节能环保、当地水文地质气象资料、建筑材料的供应、施工能力等条件进行设计，且应因地制宜地采用敞开、半敞开、全封闭等建筑围护形式。

9.5.2 钢梯和栏杆的设计应符合下列规定：

1 生产车间采用的钢梯除应符合现行国家标准《建筑设计防火规范》GB 50016的有关规定外，钢梯的角度不宜大于45°，室外钢梯宜采用钢格栅板踏步。

2 车间各类平台的临空周边、垂直运输孔洞以及楼梯洞口的周边均应设置防护栏杆。当临空高度小于20m时，防护栏杆的高度不应低于1050mm；当临空高度等于或大于20m时，防护栏杆的高度不应低于 1200mm。钢栏杆的底部应设置高度不小于 100mm 的防护板。

9.5.3 全封闭的烧结冷却室屋顶应设置天窗或通风屋顶。

9.5.4 位于沿海地区或有腐蚀性介质的厂房门、窗和门、窗五金配件应采取防腐蚀措施。

9.5.5 结构设计荷载除应满足现行国家标准《建筑结构荷载规范》GB 50009 要求外，还应满足生产使用、设备安装检修等荷载的要求。有动力设备的车间应考虑动力荷载对结构的影响。

9.5.6 基础应根据厂区工程地质报告确定，并应满足设备对沉降的要求。

9.5.7 抗震设防烈度为 6 度及以上地区的建构筑物应进行抗震设计，抗震设计应符合现行国家标准《建筑抗震设计规范》GB 50011和《构筑物抗震设计规范》GB 50191 的有关规定。

9.5.8 高温车间厂房设计应按结构件表面温度的高低采用适当的结构和材料，且对其材料强度和弹性模量应进行折减。对长期受高温作用的构件应采取隔热或冷却措施。

9.5.9 高度大于 8m，跨距大于 15m 的运输通廊，宜采用钢结构。料仓内壁应设抗磨和防粘设施。

10 成品烧结矿质量、计量、检验、化验与试验

10.1 成品烧结矿质量

10.1.1 高碱度烧结矿质量应符合表10.1.1的要求。

表10.1.1 高炉对高碱度烧结矿的质量要求

炉容级别(m^3)	1000	2000	3000	4000	5000
铁分波动(%)	≤±0.5	≤±0.5	≤±0.5	≤±0.5	≤±0.5
碱度波动	≤±0.08	≤±0.08	≤±0.08	≤±0.08	≤±0.08
铁分和碱度波动的达标率	≥80%	≥85	≥90	≥95	≥98
含 FeO(%)	≤9.0	≤8.8	≤8.5	≤8.0	≤8.0
FeO 波动(%)	≤±1.0	≤±1.0	≤±1.0	≤±1.0	≤±1.0
碱度(CaO/SiO_2)	1.8～2.25	1.8～2.25	1.8～2.25	1.8～2.25	1.8～2.25
转鼓指数+6.3mm(%)	≥71	≥74	≥77	≥78	≥78
还原度(%)	≥70	≥72	≥73	≥75	≥75

10.2 计　　量

10.2.1 进入烧结厂的各种含铁原料、熔剂、燃料及出厂的成品烧结矿均应设置计量和监测设备，计量设备和计量方式可根据具体条件选定。

10.2.2 水、电、煤气、压缩空气、蒸汽、氮气、氧气等能源介质应设置能源计量和监测设备，且应具有数据通信功能。能源计量和监测设备应能实时、准确、可靠地从能源计量器具上采集数据，并应传输至能源管理系统。计量、监测的项目和计量器具的配备要求应符合现行国家标准《钢铁企业能源计量器具配备和管理要求》GB/T 21368的有关规定。

10.2.3 余热产蒸汽和余热发电所需要的输入能源介质及输出并

网的蒸汽、电应设置单独的计量和监测设备。

10.2.4 焦炉煤气、高炉煤气、转炉煤气、混合煤气、发生炉煤气、天然气等气态能源的计量和监测应包括总管接口处的流量、压力、温度。

10.2.5 蒸汽、压缩空气、氮气、氧气能源的计量和监测应包括总管接口处的流量、压力、温度。

10.2.6 生活水、工业用水的计量和监测应包括总管接口处的流量、压力。

10.2.7 电的计量和监测应包括变电所入口侧的电流、电压、电度、功率、功率因数。

10.3 检验、化验、试验

10.3.1 烧结矿检验宜设置自动定时采样，并宜设置缩分、制样等设施。

10.3.2 烧结厂的各种含铁原料、熔剂、固体燃料、返矿、混合料及成品烧结矿均应定时进行物理检验与化学分析。

10.3.3 各种含铁原料、熔剂、固体燃料、返矿、混合料的物理检验与化学分析项目应包括化学成分、粒度和水分。成品烧结矿物理检验与化学分析项目应包括化学成分、粒度与强度以及还原度和低温还原粉化率等冶金性能检验。上述检验、化验可在钢铁公司检化验中心完成。

10.3.4 烧结厂设计应确定测定项目、物理检验与化学分析内容、取样制度及取样地点。

10.3.5 大型烧结厂宜设烧结试验室。

11 设备检修

11.0.1 烧结厂机械设备备件与易耗件，以及材料、油料和备件库，应由钢铁公司统一安排。

11.0.2 烧结设备的大、中、小修，应由钢铁公司统一安排，宜采用点检定修制。

11.0.3 烧结厂可设机械维修车间或检修站，也可由钢铁公司统一安排。

11.0.4 烧结厂风机转子的动平衡试验，应由钢铁公司统一进行或外协解决。

11.0.5 烧结冷却室±0.00平面宜设置台车修理场地。

11.0.6 烧结设备检修的整体装备水平，应根据烧结厂规模和设备最大件的情况确定。

12　安全、工业卫生与消防

12.0.1　烧结厂设计应包括烧结厂安全、工业卫生与消防设计。在初步设计时应单独成篇，其内容要满足国家规定的相关标准和编制要求。

12.0.2　烧结厂设计必须有防火、防爆、防雷电、防洪设施。其中点火保温炉用煤气应有自动切断保护措施，在烧嘴上方的空气总管末端采取防爆措施；机头电除尘器应根据烟气和粉尘性质设置防爆防腐设施。

12.0.3　烧结厂设计应有设备安全运转与事故防范措施。

12.0.4　烧结厂设计应有电气安全设施及安全照明设施。

12.0.5　烧结厂设计应有防伤害与保障人身安全设施。

12.0.6　不得向室内排放除空气以外的各种气体。

12.0.7　烧结厂安全、工业卫生与消防设施应与主体工程同时设计、同时施工、同时投产。

12.0.8　烧结厂设计应根据经批准的环境影响评价文件要求安装自动监控设备及其配套设施，且应与主体工程同时设计、同时施工、同时投入使用。

12.0.9　排气筒应设置便于采样、监测的采样口和采样监测平台。当采样平台设置在离地面高度等于或大于5m的位置时，应有通往平台的*Z*字梯、旋梯或升降梯。有净化设施的，应在其进出口分别设置采样口。采样孔、点数目和位置应符合国家现行标准《固定污染源排气中颗粒物测定与气态污染物采样方法》GB/T 16157和《固定源废气监测技术规范》HJ/T 397的有关规定。

12.0.10　烧结厂的防火设计，应符合现行国家标准《建筑设计防火规范》GB 50016和《钢铁冶金企业设计防火规范》GB 50414的有关规定。

本规范用词说明

1 为便于在执行本规范条文时区别对待，对要求严格程度不同的用词说明如下：

1) 表示很严格，非这样做不可的：
正面词采用“必须”，反面词采用“严禁”；

2) 表示严格，在正常情况下均应这样做的：
正面词采用“应”，反面词采用“不应”或“不得”；

3) 表示允许稍有选择，在条件许可时首先应这样做的：
正面词采用“宜”，反面词采用“不宜”；

4) 表示有选择，在一定条件下可以这样做的，采用“可”。

2 条文中指明应按其他有关标准执行的写法为：“应符合……的规定”或“应按……执行”。

引用标准名录

《建筑结构荷载规范》GB 50009
《建筑抗震设计规范》GB 50011
《建筑设计防火规范》GB 50016
《采暖通风与空气调节设计规范》GB 50019
《构筑物抗震设计规范》GB 50191
《钢铁冶金企业设计防火规范》GB 50414
《钢铁企业节能设计规范》GB 50632
《生活饮用水卫生标准》GB 5749
《固定污染源排气中颗粒物测定与气态污染物采样方法》GB/T 16157
《钢铁企业能源计量器具配备和管理要求》GB/T 21368
《钢铁烧结、球团工业大气污染物排放标准》GB 28662
《清洁生产标准　钢铁行业》HJ/T 426～428
《固定源废气监测技术规范》HJ/T 397

中华人民共和国国家标准

烧结厂设计规范

GB 50408 - 2015

条 文 说 明

修 订 说 明

《烧结厂设计规范》GB 50408—2015，经住房城乡建设部2015年2月2日以第738号公告批准发布。

本规范是在《烧结厂设计规范》GB 50408—2007的基础上修订而成。本次修订主编单位增加了国家烧结球团装备系统工程技术研究中心，参编单位和主要编写人员未做大的调整，除个别人员退休外，仍由宝山钢铁股份有限公司、武汉钢铁股份有限公司、新余钢铁集团有限公司、宝钢集团广东韶关钢铁有限公司、中冶北方工程技术有限公司、中冶华天工程技术有限公司、鞍山钢铁集团公司和中冶长天国际工程有限责任公司相关人员组成。

本次修订的主要内容：①增加了余热回收、烟气循环烧结工艺等术语；②增加了高原地区烧结厂设计的规定；③对烧结工艺与设备的规定做了大的修改，并将烧结工艺和设备分开规定；④对环境保护的规定作了修改，对能源与节能章节做了补充，并将节能与环境保护进行合并规定；⑤增加了总图运输、除尘、通风、空调、采暖、给水、排水、压缩空气及其他气体供应、建筑、结构等辅助设施内容；⑥对计量的内容做了补充。具体修改内容如下：

(1)根据国家钢铁产业政策，烧结机市场准入面积为180m^2，所以对烧结的规模进行了重新划分，小型烧结机单机面积上限由原来的180 m^2提高至200 m^2，中型烧结机单机面积上限由原来的300 m^2提高至360 m^2，360 m^2及以上为大型；

(2)随着近几年烧结技术的发展，烧结机利用系数和烧结厂日历作业率均有所提高，所以将铁矿粉烧结时烧结机的利用系数下限由原来的1.30t/(m^2·h)提高至1.35t/(m^2·h)，精矿粉烧结时烧结机的利用系数下限由原来的1.20t/(m^2·h)提高至1.25t/(m^2·h)；

烧结厂日历作业率由原来的90%～94%提高至92%～95%；

(3)为了降低烧结能耗，将烧结机料层厚度分别由原来的580mm和650mm提高至600mm和700mm；

(4)因为烧结工艺水平的提高，烧结机每分钟单位烧结面积平均风量范围缩小，大中型烧结机主抽风机前的负压相应提高，所以将烧结机每分钟单位烧结面积平均风量范围由原来的90±10m^3(工况)/(m^2·min)修改为90±5m^3(工况)/(m^2·min)，以褐铁矿、菱铁矿为主要原料时可超过95m^3(工况)/(m^2·min)。大中型烧结机主抽风机前的负压由原来的15.0kPa～17.2kPa修改为16kPa～18kPa；

(5)为了节约能源，对环式冷却机的漏风率和烧结机漏风率做了规定，并将鼓风式环冷机的布料厚度下限由原来的1000mm提高至1400mm；

(6)为了满足国家现行环保标准要求，大力倡导节能降耗，对烧结厂工序能耗做了规定，并提出烧结主抽风机采用变频调速；

(7)为了贯彻国家发展循环经济政策，充分利用烧结过程中产生的余热，增加了余热利用要求；

(8)为了满足国家对污染物排放要求，新增加了脱硫脱硝的设计规定等。

在本规范修订过程中，编制组进行了深入调查研究，总结实践经验，认真分析了有关资料及其数据，借鉴了相关标准规范，广泛征求了有关生产、设计、大专院校的意见，对主要的环保、节能、减排及其他疑难问题进行了反复的研讨和修改，最后经审查定稿。

为了便于广大设计、施工、科研、学校等单位有关人员在使用本规范时能正确理解和执行条文规定，编制了相应的条文说明，对条文规定的目的、依据及在执行中需注意的有关事项进行了说明，还着重对强制性条文的强制性理由作出解释。但是，本条文说明不具备与标准正文同等的法律效力，仅供使用者作为理解和把握标准规定的参考。

目　　次

1 总 则

1.0.1 本规范是国家有关法律法规和技术经济政策在工程建设中的具体体现。对钢铁工业烧结机的新建、扩建和改建工程，有关建设单位、设计单位均应遵照执行。开展烧结厂设计时，应从贯彻落实科学发展观出发，注意总结国内外经验，结合我国国情和工程实际，执行可持续发展和循环经济理念，积极采用先进可靠、产品优良、节能的烧结新工艺、新技术、新设备，以“减量化、再利用、再循环”为原则，以低消耗、低排放为目标，争取最好的经济效益和社会效益。

1.0.3 国家现行有关标准规范包括：《中华人民共和国环境保护法》、《国务院关于加强防尘防毒工作的决定》国发〔1984〕97 号、《钢铁产业发展政策》发展改革委令第 35 号、《钢铁烧结、球团工业大气污染物排放标准》GB 28662、《钢铁工业水污染物排放标准》GB 13456、《钢铁工业环境保护设计规范》GB 50406、《钢铁工业资源综合利用设计规范》GB 50405、《钢铁企业节能设计规范》GB 50632、《钢铁企业节水设计规范》GB 50506、《钢铁冶金企业设计防火规范》GB 50414、《钢铁企业总图运输设计规范》GB 50603等。

3 基本规定

3.0.1 设计依据主要有：国家有关法律法规、政策，批准的可行性研究报告，有关文件，建设项目的有关合同和协议等。

设计基础资料主要包括：各种计划、规划书，项目建议书，可行性研究报告，烧结试验报告，厂区工程地质资料，地形图，气象、水源及地质资料，建设项目外部条件的有关协议书，厂址选择报告及其周围的生态、环境资料及环境影响评价报告等。

3.0.2、3.0.3 厂址选择和布置的基本原则和注意事项有：

(1)厂址不宜建在断层、流砂层、淤泥层、滑坡层、9度以上地震区、人工或天然孔洞或三级以上湿陷性黄土层上，且不应建于洪水水位之下。

(2)应贯彻执行有关环境保护规定，厂址应布置于居民区常年最小频率风向的上风侧，并与居民区保持有关规定的卫生防护距离。

(3)有较好的供水、供电及交通条件等。

(4)厂址应进行多方案技术经济比较，选择最佳方案。

(5)贯彻国家有关土地条例，不占良田或尽量少占良田，在可能条件下结合施工造田。

3.0.6 本条为强制性条款，必须严格执行。按国务院办公厅国办发〔2003〕103号文件的规定，烧结机市场准入条件的使用面积达到180m^{2}及以上。随着我国烧结技术的进步和设备的大型化，同时因为钢铁工业的结构优化和调整，淘汰了180m^{2}以下小型烧结机，近几年的新建烧结机工程一般都在360m^{2}或以上规模。2013年，我国现有主要烧结厂的烧结机总台数为243台，烧结机总面积为52665m^2。其中200m^{2}以下台数占54.73%、面积占25.76%，

$200m^2$～$360m^2$以下台数占16.46%、面积占20.01%，大于或等于$360m^2$台数占28.81%、面积占54.23%。可以看出，虽然$200m^2$以下台数较多，但大部分为很多年前的$130m^2$以下的建设项目，需要逐渐淘汰或改建。从我国今后烧结机的建设趋势和目前烧结机的现状来看，大型烧结机单机面积规模应界定为$360m^2$及以上，小型烧结机单机面积小于$200m^2$。

3.0.9 烧结机利用系数与原料及生产操作状况、石灰的使用量、料层厚度、单位烧结面积风量、作业率、自动化水平等诸多因素有关。国内以铁粉矿为主要原料和以铁精矿为主要原料的有代表性大中型烧结厂的利用系数，2010年平均分别为1.384t/(m^2·h)和1.287t/(m^2·h)，2012年平均分别为1.344t/(m^2·h)和1.298t/(m^2·h)。以铁粉矿为主要原料时，设计取利用系数为1.35t/(m^2·h)，以铁精矿为主要原料，在采用了小球工艺时利用系数为1.25t/(m^2·h)是可行的。

3.0.11 烧结机日历作业率与工艺流程、装备水平、自动化水平、原料及生产操作状况等诸多因素有关。国内有代表性的大中型烧结机日历作业率2010年和2012年的平均值分别为95.77%和94.9%。设计取92%～95%是可行的。

3.0.13 本条为强制性条款，必须严格执行。钢铁产业发展政策规定，禁止企业采用国内外淘汰的落后二手钢铁生产设备。

3.0.14 本条为强制性条款，必须严格执行。钢铁产业发展政策规定，钢铁企业必须发展余热、余能回收发电。钢铁工业“十二五”发展规划提出，烧结烟气脱硫、脱硝技术为节能减排技术推广应用重点。当烧结厂没有脱硫设施时，二氧化硫的排放量一般在400mg/m^3～3000mg/m^3，而《钢铁烧结、球团工业大气污染物排放标准》GB 28662—2012中规定，新建企业二氧化硫排放限值为200mg/m^3。因此，开展烧结厂设计的同时，必须开展余热回收和脱硫设计。

3.0.15 《钢铁烧结、球团工业大气污染物排放标准》GB 28662—

2012中规定，新建企业氮氧化物排放限值为300mg/m³，通常情况下，烧结厂氮氧化物排放值为200mg/m³～500mg/m³，因此，烧结厂设计宜同时开展脱硝设计，特别当其排放值大于300mg/m³时，应同时开展脱硝设计。

3.0.16 《清洁生产标准钢铁行业（烧结）》HJ/T 426—2008规定，烧结原料选取要求控制易产生二噁英物质的原料。因此，选取烧结原料时，尽量选用含氯元素少的原料，以减少二噁英的产生。在烧结生产过程中，尽量不采用氯化物作为强化剂，以免增加氯元素。

4 原料、熔剂、燃料及其准备

4.1 原料、熔剂及燃料入厂条件

4.1.1 主要含铁原料为铁粉矿和铁精矿，还有钢铁公司内的各种含铁粉尘泥渣、轧钢皮等。我国铁精矿入厂条件、国内烧结厂使用的国内铁精矿和铁粉矿物理化学性质实例、国内烧结厂使用的混匀矿物理化学性质实例、国内烧结厂使用的国外原料物理化学性质实例、烧结厂使用钢铁公司粉尘泥渣及轧钢皮物理化学性质实例见表1～表5。

表1 我国铁精矿入厂条件

<table>
<tr><th>化学成分</th><th colspan="4">磁铁矿为主的精矿</th><th colspan="4">赤铁矿为主的精矿</th><th>水分(%)</th></tr>
<tr><td rowspan="2">TFe(%)</td><td>≥67</td><td>≥65</td><td>≥63</td><td>≥60</td><td>≥65</td><td>≥62</td><td>≥59</td><td>≥55</td><td rowspan="12">磁铁矿为主的精矿
Ⅰ级≤10.00
Ⅱ级≤11.00
赤铁矿为主的精矿
Ⅰ级≤11.00
Ⅱ级≤12.00</td></tr>
<tr><td colspan="4">波动范围±0.5</td><td colspan="4">波动范围±0.5</td></tr>
<tr><td>SiO_2(%)Ⅰ类</td><td>≤3</td><td>≤4</td><td>≤5</td><td>≤7</td><td>≤12</td><td>≤12</td><td>≤12</td><td>≤12</td></tr>
<tr><td>Ⅱ类</td><td>≤6</td><td>≤8</td><td>≤10</td><td>≤13</td><td>≤8</td><td>≤10</td><td>≤13</td><td>≤15</td></tr>
<tr><td>S(%)</td><td colspan="4">Ⅰ级≤0.10～0.19
Ⅱ级≤0.20～0.40</td><td colspan="4">Ⅰ级≤0.10～0.19
Ⅱ级≤0.20～0.40</td></tr>
<tr><td>P(%)</td><td colspan="4">Ⅰ级≤0.05～0.09
Ⅱ级≤0.10～0.20</td><td colspan="4">Ⅰ级≤0.08～0.19
Ⅱ级≤0.20～0.40</td></tr>
<tr><td>Cu(%)</td><td colspan="4">≤0.10～0.20</td><td colspan="4">≤0.10～0.20</td></tr>
<tr><td>Pb(%)</td><td colspan="4">≤0.10</td><td colspan="4">≤0.10</td></tr>
<tr><td>Zn(%)</td><td colspan="4">≤0.10～0.20</td><td colspan="4">≤0.10～0.20</td></tr>
<tr><td>Sn(%)</td><td colspan="4">≤0.08</td><td colspan="4">≤0.08</td></tr>
<tr><td>As(%)</td><td colspan="4">≤0.04～0.07</td><td colspan="4">≤0.04～0.07</td></tr>
<tr><td>K_2O+
Na_2O(%)</td><td colspan="4">≤0.25</td><td colspan="4">≤0.25</td></tr>
</table>

表 2　国内烧结厂使用的国内铁精矿和铁粉矿物理化学性质实例

名称	序号	化学成分(%)									物理性质	
		TFe	FeO	SiO_2	Al_2O_3	CaO	MgO	S	P	Ig	水分(%)	粒度
铁精矿	1	68.60	—	4.50	0.47	0.69	0.65	0.020	0.035	—	—	—
	2	67.70	—	3.80	—	0.56	0.15	0.31	—	—	—	—
	3	67.50	—	3.50	—	0.01	0.45	0.013	—	0.51	9.77	—
	4	67.29	28.36	4.79	—	0.27	—	0.066	0.079	0.76	10.20	−200 目 71%
	5	68.10	—	5.55	0.17	0.93	0.33	0.018	0.017	—	9.00	—
	6	66.50	—	5.50	0.85	1.50	0.30	0.011	0.022	—	—	—
	7	67.44	—	3.96	0.82	1.40	0.28	0.011	0.022	—	—	—
	8	65.73	—	4.64	0.59	1.59	0.79	0.095	0.083	—	—	—
铁粉矿	1	54.18	1.92	18.56	1.77	0.41	0.33	0.250	0.038	10.80	—	—
	2	54.31	1.87	7.60	2.38	0.45	0.97	0.029	0.050	12.10	—	<10mm

表 3　国内烧结厂使用的混匀矿物理化学性质实例

序号	化学成分(%)									物理性质	
	TFe	FeO	SiO_2	Al_2O_3	CaO	MgO	S	P	Ig	水分(%)	粒度(mm)
1	62.98	—	3.49	1.32	0.96	0.20	0.01	0.049	—	—	<8
2	63.28	5.93	4.51	1.89	0.67	0.116	0.114	0.048	10.10	—	<8
3	61.39	14.10	4.85	—	4.32	2.48	0.20	—	—	6.30	<8
4	60.00	—	4.25	—	3.12	1.52	0.10	—	3.50	—	<8
5	63.95	—	4.53	1.30	0.36	0.36	0.043	0.059	1.00	5.00	<8
6	61.50	—	4.50	—	2.10	1.60	0.135	0.059	5.00	—	<8
7	61.88	—	5.18	—	2.52	2.28	0.27	—	2.50	7.00	<8
8	61.67	—	4.63	—	2.00	1.289	0.171	0.084	3.28	5.89	<8

表 4　国内烧结厂使用的国外原料物理化学性质实例

国别	名　称	化学成分(%)										粒度(mm)	平均粒度(mm)
		TFe	SiO_2	Al_2O_3	CaO	MgO	S	P	K_2O	Na_2O	Ig		
巴西	CVRD 卡拉加斯	67.50	0.70	0.74	0.01	0.02	0.008	0.036	<0.01	<0.01	1.70	<8	2.4
	CVRD 标准烧结粉	66.00	3.65	0.70	0.03	0.03	0.005	0.026	0.008	0.005	0.80	>6.3 为 7.5%	2.62
	MBR CSF	67.00	1.50	1.25	0.12	0.06	0.007	0.044	<0.01	<0.01	1.30	>8.0 为 18.4%	4.44
澳大利亚	哈默斯利	62.92	3.35	2.10	0.067	0.04	0.011	0.063	0.017	0.025	2.56	<8	2.45
	纽曼	62.08	2.82	1.43	0.070	0.10	0.011	0.046	0.02	0.023	4.60	<8	2.20
	扬迪	58.33	4.92	1.15	0.110	0.15	0.010	0.036	0.003	0.007	9.50	>8 为 15.9%	2.58
	罗布河	56.74	2.59	1.58	0.710	0.30	0.019	0.041	—	—	—	<6.3	—
	麦克	62.72	2.78	1.84	0.090	0.10	0.026	0.052	—	—	5.45	<5.0	1.83
印度	果阿	62.50	4.20	2.10	0.600	0.05	0.01	0.02	0.017	—	3.80	<8	2.14
	H 矿	67.85	0.96	1.02	0.010	0.01	0.008	0.063	—	—	1.05	<8	2.99
南非	伊斯科	65.00	4.00	1.35	0.100	0.04	0.010	0.06	0.333	0.022	0.70	<6.3	2.51
加拿大	卡罗尔湖	66.80	3.76	0.13	0.390	0.25	0.04	0.004	0.002	0.002	0.20	<3	0.295

表 5　烧结厂使用的钢铁公司粉尘泥渣及轧钢皮物理化学性质实例

名称	序号	化学成分(%)										物理性质	
		TFe	FeO	SiO_2	CaO	MgO	Al_2O_3	S	P	C	Ig	水分(%)	粒度
高炉铁	1	41.51	2.90	6.88	3.58	0.63	2.60	0.041	0.072	22.19	22.15	—	—
	2	43.66	—	8.02	4.91	1.74	1.35	0.24	0.0176	—	22.36	7.00	—
	3	42.00	6.80	9.80	7.30	3.84	—	—	—	—	18.00	—	—
轧钢皮	1	74.10	65.50	0.81	1.07	—	0.27	0.023	—	—	—	1.40	—
	2	70.28	—	1.11	1.47	0.50	0.02	—	—	—	0.025	—	<5mm
	3	70.00	—	2.70	0.00	1.43	0.18	0.05	0.036	—	—	—	—
转炉污泥	1	68.85	61.60	1.90	7.99	1.88	0.12	—	P_2O_5 0.23	2.5	—	—	−30μm 100%
	2	48.18	18.00	4.15	10.92	5.90	—	0.031	—	—	—	—	−0.074mm为71.69%
转炉渣	1	15.87	9.33	11.55	42.56	8.78	2.46	0.081	P_2O_5 0.31	—	8.46	—	—
	2	15.04	11.12	15.87	43.12	7.40	6.10	0.264	—	—	4.39	6.00	<8mm

烧结含铁原料应稳定，混匀矿铁品位波动的允许偏差为±0.5%，SiO_2的允许偏差为±0.2%。达到此目标，烧结和炼铁将会取得显著的经济效益。根据6个厂的统计，含铁原料混匀前后的对比数字为：烧结机利用系数和工序能耗可分别提高和降低3%～15%；高炉利用系数和焦比可提高4%～18%和降低5%～10%。表6列出主要产钢国对烧结用混匀矿成分波动的要求，含铁原料的波动要求基本在这一范围内。

表 6　主要产钢国对烧结用混匀矿成分波动的要求

国家及厂名	TFe(%)	SiO_2(%)	CaO/SiO_2(%)	Al_2O_3(%)
日本大分	±0.2～0.5	±0.12	±0.03	±0.3
日本若松	±0.42	±0.165	—	—
日本福山	<0.05	<0.03	<0.03	—
日本千叶	—	±0.2	—	±0.3
日本君津	±0.167	±0.08	±0.025	—
日本户畑	—	±0.128	—	—
德国西马克	±0.3～0.4	—	±0.03	—
德国曼内斯曼	±0.3	±0.2	±0.05	—
前苏联	±0.2	±0.2	±0.03	—
英国	±0.3～0.5	—	±0.03～0.05	—
美国凯萨	—	—	±0.13	—
中国宝钢	≤±0.5	≤±0.3	≤±0.03	—

4.1.2　烧结熔剂有石灰石、生石灰、消石灰、白云石(或白云石化石灰石)、轻烧白云石粉、蛇纹石、菱镁石、硅砂等。我国各种熔剂入厂条件、我国部分烧结厂熔剂入厂条件、国内烧结厂用熔剂物理化学性质实例见表 7～表 9。

表 7　我国各种熔剂入厂条件

名称	化学成分(%)	粒度(mm)	水分(%)	备注
石灰石	CaO≥52,SiO_2≤3,MgO≤3	80～0 及 40～0	<3	—
白云石	MgO≥19, SiO_2≤4	80～0 40～0	<4	—
生石灰	CaO≥85, MgO≤5, SiO_2≤3.5, P≤0.05,S≤0.15	≤4	—	生烧率+过烧率≤12%; 活性度[①]≥210mL
消石灰	CaO>60,SiO_2<3	3～0	<15	—

注:①指在 40±1℃水中,50g 石灰 10min 耗 4n HCl 的量。

表 8　我国部分烧结厂熔剂入厂条件

熔剂品种	化学成分(%)	粒度(mm)	活性度
石灰石块	$CaO \geqslant 50, SiO_2 \leqslant 3.0, P \leqslant 0.03$, $S \leqslant 0.12$	0～60	—
石灰石粉	$CaO \geqslant 50, SiO_2 \leqslant 3.0, P \leqslant 0.03$, $S \leqslant 0.12$	0～3≥90%	—
消石灰	$CaO \geqslant 70, SiO_2 \leqslant 5.0$, H_2O 20%～26%	0～3	—
生石灰	$CaO \geqslant 80, SiO_2 \leqslant 5.0$	0～3	≥180
白云石粉	$MgO \geqslant 19.0$(波动－0.5)，$SiO_2 \leqslant 2.0$, $CaO \geqslant 30$	<3≥80%	—
白云石	$MgO \geqslant 19.0$, $SiO_2 \leqslant 7.0, CaO \geqslant 32$	5～45	—

表 9　国内烧结厂用熔剂物理化学性质实例

名称	序号	化学成分(%)						水分(%)
		CaO	MgO	SiO_2	Al_2O_3	S	Ig	
石灰石	1	54.43	0.40	0.69	0.26	0.006	—	—
	2	53.07	1.60	3.70	—	—	41.42	—
	3	52.38	1.40	1.27	0.96	—	42.49	—
白云石	1	32.61	19.94	0.16	—	—	42.35	—
	2	31.50	20.42	1.00	—	—	42.66	4.00
	3	29.50	19.30	3.70	—	—	44.80	4.30
蛇纹石	1	1.52	38.4	38.22	0.92	0.028	—	—
	2	1.40	36.29	38.19	0.98	—	13.72	—
生石灰	1	85.69	1.06	—	0.24	0.004	—	—
	2	85.00	2.85	1.95	—	0.002	13.95	—
	3	84.65	4.90	2.46	—	—	4.00	—
	4	85.00	2.00	2.50	—	—	5.00	—
消石灰	1	65.97	1.14	2.17	0.41	—	26.75	—
	2	62.30	2.20	5.18	—	—	28.95	20.00

4.1.3　烧结用燃料主要有碎焦、无烟煤、煤气等。我国部分烧结厂固体燃料入厂条件、烧结厂用固体燃料实例见表 10 和表 11。

表 10　我国部分烧结厂固体燃料入厂条件

名称	序号	固定碳(%)	挥发分(%)	硫(%)	灰分(%)	水分(%)	粒度(mm)
无烟煤	1	≥75	≤10	≤0.05	≤15	<6	0～13
	2	≥75	≤10	≤0.50	≤13	≤10	≤25≥95%
焦粉	1	≥80	≤2.5	≤0.60	≤14	≤15	0～25
	2	≥80	—	≤0.8	≤14 (波动+4)	≤18	<3≥80%

表 11　烧结厂用固体燃料实例

名称	序号	固定碳(%)	挥发分(%)	硫(%)	灰分(%)	水分(%)	粒度(mm)
焦粉	1	85.0	—	—	13.0	8.57	8～0
	2	85.0	—	—	15.0	6.0	—
	3	86.32	1.2	0.47	12.01	11.0	10～0
无烟煤	1	70.73	6.10	0.35	20.79	11.0	—
	2	85.0	—	—	6.5	6.5	8～0
	3	76.48	2.6	0.47	20.99	9.0	10～0

4.2　原料、熔剂、固体燃料的接受与贮存

4.2.3　翻车机是一种大型卸车设备，广泛应用于大中型烧结厂，具有卸车效率高，生产能力大的特点，适用于翻卸各种散状物料。由于机械化程度高，有利于实现卸车作业自动化或半自动化。翻车机有侧翻式和转子式两种，侧翻式造价低，但有速度慢，翻转角度小，压车板，剩料多等缺点，目前使用不多。

为了保证翻卸作业，改善操作，提高翻卸能力，可配以辅助设施。这些设施主要包括重车铁牛、摘钩平台、推车器、空车铁牛、迁车台等，形成一个完整的机械化翻车卸料系统。

受料槽是一种仅用于受料而不用于贮存的设施，多用于接受钢铁公司的散状杂料和辅助原料。受料槽设计应考虑采用机械化卸车设备，最常见和采用最多的是螺旋卸车机和链斗卸车机。螺

旋卸车机适应性比较广泛，对于铁粉矿、铁精矿、散状含铁料、碎焦、无烟煤、石灰石等都适用。

4.2.8 熔剂、固体燃料的贮存天数应考虑下列因素：

1 消耗少的品种或供矿点分散、运输条件差、运距远、运输方式复杂等不利因素多时，贮存天数可适当增加，但最多不超过 7d，反之贮存天数可适当减少至 3d。

2 当采用水运时，气候等其他因素影响较多，贮存天数可适当增加，但最多不超过 7d。

4.3 熔剂和固体燃料的准备

4.3.1 石灰石、白云石在烧结厂内破碎容易造成环境污染，目前，绝大部分烧结厂都直接采购石灰石和白云石成品，将石灰石、白云石和固体燃料加工成合格产品后送往配料槽。

4.3.2 石灰石、白云石破碎筛分流程有锤式破碎机闭路破碎筛分流程和反击式破碎机闭路破碎筛分流程二种。

在闭路破碎筛分流程中，可分为预先筛分和检查筛分两种。当石灰石、白云石原矿中 3mm～0 粒级含量较多时，一般在 30%～40%以上，才增加预先筛分，否则仅采用检查筛分。

检查筛分流程筛下为产品，筛上物料返回破碎机重新破碎。烧结厂多采用这种流程。

4.3.4、4.3.5 固体燃料破碎筛分流程的选择、破碎筛分设备效率和最终产品质量，都取决于固体燃料粒度和水分。粒度大小影响破碎段数的多少，水分高低影响破碎筛分效率。

(1)当碎焦粒度为 25mm～0 时，宜采用两段开路破碎流程，因碎焦水分高，采用闭路流程会使筛分效率降低(堵筛孔，筛分困难)。

(2)大型烧结厂破碎筛分干熄焦粉时，也可采用带预先筛分和检查筛分的两段闭路破碎流程。

(3)无烟煤破碎，多采用两段开路破碎流程。所采用的破碎设备，第一段为对辊破碎机，第二段为四辊破碎机。这种流程的最大特点是工艺简单，生产可靠，效率高，产品质量好。

(4)预先筛分两段开路破碎流程，国内大中型烧结厂也有采用的。增加预先筛分是为了防止过粉碎和最大限度发挥破碎设备的能力，仅一段开路破碎不能保证产品最终粒度。设检查筛分因煤中的水分高而使筛分难以进行，因此用增加第二段破碎来保证最终产品粒度。这种开路流程的主要优点是生产能力大，生产安全可靠，煤、焦都能破碎。

5 烧结工艺

5.1 工艺流程

5.1.1 烧结主工艺流程包括:配料,加水、混合与制粒,布料、点火与烧结,热烧结饼破碎或兼有热矿筛分,烧结抽风与烟气净化,烧结矿冷却,烧结矿整粒,成品烧结矿质量检测、贮存及输出。有原料场时,原料的接受、贮存在原料场,石灰石、白云石的接受、贮存和准备也可在原料场。

5.1.2 本条为强制性条款,必须严格执行。热矿烧结工艺由于不能整粒而导致烧结矿大小不匀,含粉末量多,严重影响高炉生产的顺利进行。同时现代高炉均为无料钟炉顶,采用胶带机上料,而热烧结矿不能上料,因此,为了满足高炉生产的要求,禁止采用热烧结矿工艺。

5.2 配　　料

5.2.1 配料槽可分为单列式和双列式两种。当采用双系统配料时,采用双列式矿槽,采用单系统配料时,采用单列式矿槽。过去,我国烧结厂设计,烧结机多采用二台或四台机,对应的配料系统多采用单系统和双系统,每个系统向二台烧结机供料。由于烧结机大型化和自动化水平的提高,现代烧结厂设计中,主机多采用一台或两台。因此,相应的配料也是单系统或双系统,每个系统向一台烧结机供料。

5.2.2 设计中采用自动重量配料的主要依据是:随着冶炼技术的发展和高炉大型化,对入炉原料的稳定性要求提高。

5.2.3 为了减少原料、熔剂、固体燃料等对烧结生产波动和配比的影响,这些物料在配料槽内应有一定的贮存时间。贮存时间的多少与来料周期、输送设备运转、检修等因素有关。其贮存时间应为 8h 以上。

5.2.7 国内外的烧结研究与生产实践都证明，在烧结过程中加入一定量的生石灰或消石灰，特别是生石灰，可收到明显的经济效果，烧结矿产量提高、质量改善、燃耗降低。

国内外经验也表明，特别是以铁精矿为主要原料时，添加生石灰是强化烧结过程最重要的手段之一。目前，我国烧结厂都在重视提高生石灰的质量和活性度。

我国大中型烧结机 2003 年和 2004 年生石灰、消石灰的配加量平均每吨成品烧结矿分别为 42.96kg 和 50.15kg，有的达 85.00kg 以上，比日本平均配加量高很多。日本某些厂为了降低烧结矿的成本，改善环境，根本不加生石灰、消石灰。为此，确定我国每吨成品烧结矿生石灰、消石灰添加量宜为 20.00kg～60.00kg。以烧结铁粉矿为主时宜取中下限值，以铁精矿为主时宜取中上限值。

5.2.9 由于粉尘亲水性差，不加湿在一次混合中难以混匀，同时在配料和运输过程中严重产生二次扬尘。

5.3 加水、混合与制粒

5.3.1 混合段数与原料性质有关。一次混合的目的是润湿及混匀，或兼有部分制粒功能，使混合料中的水分、粒度及混合料中的各组分均匀分布。二次混合除继续混匀外，主要目的是制粒，并使混合料最终达到要求的水分与润湿效果。

影响混匀与制粒效果的因素很多，主要有原料的性质、添加剂的种类、加水量、加水方式、混合制粒设备参数、设备安装状况以及操作等。

过去，国内烧结厂含铁原料以铁精矿为主时，采用两段混合，以粉矿为主时，有的采用一段混合。近年由于烧结技术的发展，尤其是厚料层烧结的需要，对铁粉矿进行二次混合也是非常必要的。国内一个 $50m^2$ 烧结机以烧结铁粉矿为主的厂，将原圆筒混合机由

Φ3×9m 改为 Φ3.5×12m 并增加一台 Φ3.5×14m 的圆筒混合(制粒)机，对充填率等工艺参数进行了优化，混合制粒时间由4min 延长到 9min，同时降低了混合料水分。改造前后混合料粒度发生了明显变化，见表 12。另一个以烧结铁粉矿为主的厂也是如此，见表 13。经过混合制粒后的混匀效率见表 14，制粒后的粒度组成见表 15。

表 12　圆筒混合机改造前后混合料粒度组成(%)

序号		混合料水分(%)	混合料粒度(mm)					
			>6.3	6.3～5.0	5.0～3.15	3.15～2.0	<1.0	<3.15
改造前	1	7.10	9.44	14.16	26.07	14.68	12.30	50.33
	2	7.00	9.86	12.48	22.25	19.08	11.79	55.41
	3	6.90	11.76	10.99	25.90	16.99	17.79	51.35
改造后	1	5.80	14.53	10.69	33.14	17.81	7.17	40.50
	2	6.00	17.43	14.25	32.88	17.40	4.88	35.44
	3	5.70	14.78	15.50	33.24	17.93	4.31	36.48

表 13　烧结混合料的制粒效果(%)

制粒效果	混合料粒度(mm)						
	>15	15～10	10～5	5～4	4～2.5	2.5～1.2	<1.2
一混前	—	7	20	7.4	23.5	13.7	22.4
一混后	1.45	6.15	18.9	4.45	20.55	15.10	33.40
二混(制粒)后	1.45	6.4	22.0	6.4	35.35	16.20	12.20

表 14　混合制粒的混匀效率

名　　称	代号	化学成分(%)				H_2O(%)
		TFe	CaO	SiO_2	C	
一混	η	0.895	0.870	0.764	0.780	7～9
	m	0.035	0.043	0.056	0.082	
二混(制粒)	η	0.936	0.926	0.916	0.761	5～10
	m	0.024	0.020	0.031	0.082	

注：η 为混匀效率，其值越接近 1，混合效果越好；m 为混合料均匀系数。

表 15　二次混合(制粒)后的粒度组成(%)

取样编号	制粒前粒度组成(mm)				二混(制粒)后粒度组成(mm)			
	>8	8～5	5～3	3～0	>8	8～5	5～3	3～0
1	20	20	30.3	29.7	24.8	20.8	27.2	27.2
2	18.9	20	19.4	41.7	25.2	24.4	26.0	24.4
平均	19.45	20	24.9	35.7	25.0	22.6	26.6	25.8

5.3.2　为了保证混合制粒效果,应有足够的混合制粒时间,见表 16。

表 16　混合制粒时间与混合效果(%)

混合制粒时间(min)	混合料水分(%)	粒级含量(mm)	
		3～1	1～0
1.5	7.4	21.1	41.5
3.0	7.4	24.7	35.1
4.0	7.3	27.3	32.1
5.0	7.2	30.2	24.8

过去国内铁精矿烧结混合制粒时间,一般为 2.5min～3.0min,一次混合为 1min 左右,二次混合(制粒)为 1.5min～2.0min。多年生产实践证明,不论以铁精矿为主的混合料还是以铁粉矿为主的混合料,混合时间均显不足。现在国内外烧结厂混合制粒时间都增加到 5min～9min(包括固体燃料外滚的时间在内),如日本君津厂为 8.1min,前釜石厂达 9min。我国近年投产和设计的一次、二次(制粒)和三次混合(固体燃料外滚)机混合制粒时间基本在这一范围内。

5.3.3　国内外烧结厂混合机充填率,一次混合机为 10%～16%,二次混合(制粒)机为 9%～15%。日本大分厂 1# 烧结机一次混合机充填率为 10%,二次混合机为 9%。我国近年投产和设计的一次混合机和二次混合机充填率也在这一范围内。

5.4　布料、点火与烧结

5.4.1　为了提高布料的偏析作用和满足复合烧结工艺要求,一般也可采用分级布料形式。分级布料有两种形式：一种形式为提高布料时的偏析作用，将圆辊给料机上的混合料斗改为裤衩形漏斗，混合料在裤衩形漏斗中运动时产生偏析，大颗粒的混合料直接布在台车下部，而小颗粒和细料进入有圆辊给料机上的漏斗中，通过圆辊给料机和辊式给料机布在台车的中、上部。另一种形式为复合烧结工艺而采用的分层布料方式，即将两种高、低配比碱度的混合料，通过两套布料装置分别布在台车上进行烧结，烧结后成品烧结矿为自熔性烧结矿。

5.4.2 烧结机应力求实现大型化。同样条件，建设一台大型烧结机与建设多台小型烧结机相比，具有很多明显的优点。德国鲁奇公司对西欧的一个厂进行了核算，当烧结机面积增至两倍时，每吨烧结矿的基建费大约可节省15％～20％，运转费可降低5％～10％，建一台300m^2的烧结机要比建三台100m^2的烧结机投资省25％。而日刊报道的数字为：同等规模，当建设的烧结机面积为100m^2、300m^2、500m^2时，相对的基建费为1.00、0.68和0.56，相对的运转费为1.0、0.865和0.84。国内曾在工程中对采用1台252m^2烧结机还是采用2台130m^2烧结机和对采用1台330m^2烧结机还是采用两台165m^2烧结机的方案进行过比较，见表17和表18。

表17　一台252m^2与两台130m^2烧结机比较表

序号	项　　目	1×252m^2烧结机	2×130m^2烧结机	差值
1	烧结矿产量(万 t/a)	240	247	－7.0
2	基建投资(％)	100	113.1	－13.1
3	每 t 成品烧结矿投资(％)	100	109.9	－9.9
4	单位烧结面积投资(％)	100	109.9	－9.9
5	运转费(％)	100	104.7	－4.7
6	劳动生产率(％)	100	90.9	＋9.1
7	投资还本期(a)	5.6	6.5	－0.9

表 18　一台 330m² 与两台 165m² 烧结机比较表(可比部分)

序号	项　　目	1×330m²烧结机	2×165m²烧结机	差值
1	烧结矿产量(%)	100	100	—
2	原料、熔剂、燃料条件	相同	相同	—
3	建设资金(%)	100	115.3	−15.3
4	设备重量(%)	100	114.3	−14.3
5	装机容量(kW)	约 31040	约 32500	−1460
6	土建工程量(%)	100	112.6	−12.6
7	运转费(%)	100	106.0	−6.0
8	劳动生产率(%)	110	100	+10
9	焦炉煤气消耗量(kJ/a)	287.43×10^9	294.88×10^9	-7.55×10^9
10	电耗量(kW·h/a)	137.2×10^6	145.78×10^6	-8.58×10^6
11	生产新水耗量(m^3/a)	106.33×10^4	120.05×10^4	-13.72×10^4
12	工业循环水耗量(m^3/a)	445.9×10^4	514.5×10^4	-68.6×10^4
13	生活新水耗量(m^3/a)	34.3×10^4	44.59×10^4	-10.29×10^4
14	烧结矿质量	好	较好	—
15	生产管理	方便	较不方便	—
16	自动控制	容易	较不容易	—
17	环保治理	容易	较不容易	—

表 17、表 18 说明，建大型烧结机除设备重量、装机容量、土建工程量、运转费及焦炉煤气、电、水消耗量均少外，而且劳动生产率高、烧结矿质量好、生产管理方便、易于环保治理和实现自动控制。

此外，大型烧结机的建设资金低，固定资产少，同样条件，每年的折旧费和修理费进入烧结矿成本数量少。因此，大烧结机所生产的烧结矿成本要低。烧结机大型化在国内外已成趋势。

但是，特别是一台烧结机对一座高炉时，存在着生产和检修不平衡的问题，对此，国内外普遍采用料场贮存烧结矿来解决。

5.4.4　铺底料技术是多年来烧结技术发展的主要成果之一，不仅有保护烧结设备的良好作用，而且可以稳定操作、提高烧结矿的产量和质量，减少烧结烟气含尘量，并已在国内外烧结厂普遍采用。

铺底料槽铺底料贮存时间，基本等于烧结时间、冷却时间、整粒系统分出铺底料的时间及胶带输送时间的总和。但由于各种原因和实际配置上的困难，铺底料槽铺底料贮存时间可考虑1h～2h。

5.4.5 厚料层烧结是指采用较高的料层进行烧结。厚料层烧结的自动蓄热作用可以减少燃料用量，使烧结料层的氧化气氛加强，烧结矿中FeO的含量降低，还原性变好。少加燃料又能大量形成以针状铁酸钙为主要粘结相的高强度烧结矿，使烧结矿强度变好。此外，由于是厚料层烧结，难以烧好的表层烧结矿数量减少，成品率提高。国内一台烧结机改造，料层厚度由500mm提高至600mm后，每吨成品烧结矿工序能耗降低1.15kg标煤，转鼓强度提高2.5%，烧结矿平均粒度提高2mm，成品率上升1.4%，返矿量降低23.8%，FeO含量降低0.58%。随着烧结技术的发展及强化制粒功能，提高混合料的透气性。我国有代表性的主要烧结厂大中型烧结机2010年平均料层厚度为700mm，以烧结铁粉矿为主平均为714mm，以烧结铁精矿为主平均为686mm。最高为750mm。而2012年以烧结铁粉矿为主平均为715mm，以烧结铁精矿为主仅702mm，最高为828mm。因此，大中型烧结机的料层厚度(包括铺底料厚度)，以铁精矿为主，采用小球烧结法时宜等于或大于600mm，以铁粉矿为主宜等于或大于700mm。特殊情况应通过试验或借鉴同类厂经验确定。

5.4.6 热风烧结是将冷却机的热废气引入点火保温炉后面的密封罩内，使烧结表层继续加热，可以改善烧结矿的强度，降低燃耗。目前国内一些烧结厂采用的是依靠冷却机鼓风余压、抽风负压和热压差来进行热风烧结的。有些厂用得好，不少厂不行。关键是：要有足够的鼓风余压、抽风负压和热压差，将烧结机热风烧结区密封好并及时对热风管道进行清灰。

5.4.8 烧结混合料组成不同，点火温度也各异。特殊原料的适宜点火温度，应由试验确定。我国烧结厂点火温度为1050℃～1200℃。实践证明，点火温度不应大于1200℃，但在1000℃时很难点火，目前，适宜的最低点火温度为1050℃，为节省能源并达到良好的效果，点火温度在1050℃～1100℃为好。

点火时间的长短与点火温度和点火时的总供热量有关。点火温度过高，时间过长，会使料层表面熔化，反之又会使料层烧不好。国内外经验表明，点火温度在1050℃～1200℃时，点火时间以1min～1.5min为宜。

目前，我国烧结厂点火最普遍用的是焦炉煤气、转炉煤气、高炉煤气或高热值煤气与低热值煤气配合使用。煤粉、发生炉煤气点火，因其投资大、成本高以及环保等原因，不宜采用。重油点火虽然热值高，但由于存在许多缺点并且供应困难，也不宜采用。高炉煤气由于热值低，达不到正常点火温度，宜采用空气、煤气双预热方式进行点火。采用焦炉煤气、转炉煤气或高热值煤气与低热值煤气配合的混合煤气作为点火燃料时，烧结主厂房附近煤气压力不应低于4000Pa；采用高炉煤气作为点火燃料时，系统阻力大，烧结主厂房附近煤气压力不应低于7000Pa，达不到要求时应采取相应措施。

5.4.10 过去，烧结机尾都采用热矿筛分工艺。筛分设备为固定筛或振动筛，筛出的热返矿预热混合料。主要优点是利用了热返矿的热能，缺点是很难稳定烧结生产，环境又差。由于热矿筛，特别是热矿振动筛投资又多3.3%，又长期处于高温、多尘的环境中工作，事故多，筛子寿命短，检修工作量也大，烧结机作业率比无热矿筛要低1%～2%，而固定筛筛出的成品烧结矿又多，且大于400m^{2}的大型烧结机又无振动筛可以匹配。基于这些原因，1973年以后日本新建的12台烧结机中就有9台取消了热矿振动筛。日本福山4#烧结机进行了取消热筛分的试验，试验结果表明，只要冷却机的风机风压提高147Pa，烧结矿的强度和烧结矿产量几乎和设有热筛分一样（见表19）。原日本若松烧结厂取消热筛分的实践也证明，只要冷却机的风机风量增加15%～20%，就可以得到与设有热筛分相同的结果。国内一台360m^{2}烧结机于2004年1～2月（环境温度平均为－18℃）进行了1个月的工业试验。

试验表明，取消热矿筛后，烧结矿产量增加了2.49%，固体燃耗降低了1.1kg/t，煤气降低了0.006GJ/t，电耗降低了0.5kW·h/t，按年产360万t烧结矿计算，仅节能就可降低成本260万元。此外还减少了设备维修量，每年仅备件费就可减少110万元。试验证明，东北地区取消热矿筛是可行的，但必须保证不降低混合料温度。我国近年投产和设计的大中型烧结机，以铁粉矿为主要原料的几乎都取消了热矿筛。以铁精矿为主要原料的，即使在寒冷的地区也有部分厂取消了热矿筛。

取消热矿筛分工艺后，主要优点是简化了烧结工艺，消除了热矿筛和处理热返矿这两大薄弱环节，节省了投资，提高了烧结机作业率，改善了环境，烧结生产也得到了稳定。

表19 有热筛与无热筛比较

指标名称	单位	使用热筛	取消热筛
利用系数	t/(m²·h)	1.55	1.51
返矿	kg/t	393	365
转鼓指数	%	65.3	65.5
抽风负压	Pa	17748	17865
风箱温度	℃	301	317
烧结矿温度	℃	29	41.6
返矿温度	℃	96	41
混合料温度	℃	34	24
冷却风机负压	Pa	3587	3734

5.4.11 有热返矿时，应将热矿筛偏离矿槽中心，以保证返矿配料的稳定，防止对筛子的直接热辐射。

5.5 烧结抽风与烟气净化

5.5.1、5.5.2 过去薄料层烧结时，主抽风机前的负压约为11.8kPa左右。目前采用厚料层烧结且烧结机的漏风率有所下降，大中型烧结机主抽风机前的负压相应提高，宜取16kPa～

18kPa。我国近年投产和设计的部分大中型烧结机每分钟单位烧结面积平均风量和主抽风机前的负压几乎都在这一范围内。

5.5.3 大中型烧结机宜设双降尘管，考虑以下因素：

(1)烧结烟气必须进行脱除有害气体时，应选择双降尘管，其中一根降尘管抽取脱除段的烟气；

(2)目前烧结烟气有害气体浓度虽然较低，可采用高烟囱排放；采用双降尘管，可以预留脱除设施位置，以适应含铁原料、熔剂和固体燃料的变化和我国环保要求越来越严的需要；

(3)大型及中型偏大的烧结机，由于台车宽度宽，为提高烧结效果和设备运转平稳可靠，宜采用双吸风式的风箱和双降尘管；

(4)双降尘管能降低烧结主厂房高度。

降尘管的流速在以烧结铁精矿为主时，取10m/s～15m/s，烧结铁粉矿流速可大于15m/s，450m^2烧结机烟气流速可达16.5m/s。

5.5.4 机头电除尘器要防止烟气温度过高，过高会引起电除尘器燃爆。应设置自动开闭的冷风吸入阀，使烟气温度始终控制在要求的范围内，保持正常工作状况。

5.5.6 烧结烟气通过烟道和烟囱，最后排入大气。我国烟气在烟囱的出口流速为10m/s～25m/s(150℃)。

烟囱出口的烟气流速大小也与烟气中有害气体的排放和烟气中含尘浓度有关，烟气流速大小与烟囱出口直径有关。流速小，烟囱出口直径大，整个烟囱投资增加。但流速过快，也会加剧烟囱磨损。

烟囱高度虽然可以通过计算得出，但确定烟囱高度应考虑的因素很多。首先要考虑烟气中含有害气体与含尘量能否达到国家允许排放标准。设计中确定烟囱高度时应注意下列因素：

(1)含铁原料及固体燃料条件；

(2)烟气中含尘及有害气体浓度；

(3)建厂地区的环保标准；

(4)建厂地区的居民区及旅游区等的状况；

(5)建厂地区的气象条件；

(6)烟囱塔架上是否安装环保与气象的取样及检测仪表；

(7)烟气进入烟囱前是否设有脱除有害气体装置；

(8)周围是否有航空、电台等特种设置。

我国大中型烧结机近年修建的烟囱高度，由于烧结技术进步和装备水平提高，烧结设备大型化以及国家对脱硫、脱硝的环境保护政策和粉尘排放新标准要求，烧结机的主烟囱高度一般在100m～150m。

5.5.8 采用烧结烟气循环工艺时，循环烟气的含氧量一般只有14%～15%，根据试验和生产实践，进入烧结的烟气和空气的混合气的含氧量应大于18%，否则将严重影响烧结产量。烧结烟气的循环量一般为主抽风机风量的50%～30%，当循环风量大于35%时，必须加入一定量的氧气，与空气混合后才能满足烧结所需含氧量大于18%以上的气体要求。

5.5.9 对烧结烟气进行余热利用时，要根据烟气中SO_2的含量来确定其烟气的露点温度，进入电除尘器中的热烟气必须大于该露点温度，以防止由于结露引起水中硫酸腐蚀电除尘器及风机。一般要求烟气温度不能低于130℃。

5.5.10 《钢铁烧结、球团工业大气污染物排放标准》GB 28662—2012中规定了各企业的大气污染物排放限值，烧结厂的建设应同步建设配套的机头烟气净化设施，多种污染物联合脱除，确保各类污染物的排放满足其规定的限制要求。对于各省有更高要求的，亦应满足其排放限值。

5.6 烧结矿冷却

5.6.1 烧结矿冷却有机外冷却和机上冷却两种型式。机外冷却的冷却机有抽风式和鼓风式两种方式。抽风式冷却机已逐步淘汰；鼓风式冷却机有环式冷却机、带式冷却机等。鼓风带式冷却机的优点是可以满足多台烧结机同时布置于一个主厂房内，布料均匀兼有运输烧结矿的作用。缺点是有效冷却面积利用率太小，仅40%左右，设备相当贵。而鼓风环式冷却机的优点是料层高、占地少、结构简单、便于操作、易于维护、设备费便宜。故我国大中型烧结机应采用鼓风环式冷却机。但鼓风环式冷却机包括其结构还需进一步改进，漏风也需进一步治理。

鼓风环式冷却机采用与台车数量相对应的正多边形回转框架，提高回转框架刚度；采用摩擦传动，配置紧凑；台车两侧与风箱之间采用两道橡胶密封装置，提高密封和冷却效果；传动电动机与减速机之间设定扭矩联轴器，其传动电动机应采用变频调速三相异步电动机；鼓风机轴承及其电动机轴承，定子绕组均应设置测温并报警，定子绕组应设置加热器；南方地区大型鼓风机轴承应设水冷。

鼓风式冷却机给料采用粒度分级布料技术后，冷却机台车上的料从下往上大致分为大块料、小颗粒料、中块料，以利于冷却风首先冷却大块料且不易产生风洞，提高冷却效果。

5.6.5 鼓风冷却的冷烧面积比，以 0.9～1.2 为宜。我国 450m^2 的大型烧结机为 1.02，冷却效果良好，生产正常，设备运转稳定可靠。

机上冷却的冷烧比，国外较低，而国内较高，为 1.0 左右。具体采用时，应根据原料的不同，由试验确定。

冷却面积应留有一定余地以保证冷却效果并留有提高产量的可能性。

5.6.8 冷却机的热废气余热利用，已经得到广泛推广，从已投运的工程来看，选取冷却机热废气的利用量的差异较大。根据现场测试，正常生产时，冷却机前 40%长度位置（即 40%的废气量）的热废气温度在 250℃至 500℃之间。如用于产蒸汽发电，全厂热效率可达 20%以上，投资回报在 3 年～4 年。所以这部分的热废气是很有价值的，因此将冷却机热废气的利用量定为大于 40%。

5.7 烧结矿整粒

5.7.1 本条为强制性条款，必须严格执行。据测定，没有采用铺底料的老烧结机，机头除尘器前的烟气含尘浓度高达 $2g/m^3$～$5g/m^3$，而采用铺底料的烟气含尘浓度只有 $0.5g/m^3$～$1.0g/m^3$；采用铺底料后，混合料可以充分烧透，从而提高烧结矿和返矿的质量，并减少炉箅条消耗，延长主抽风机转子和主除尘系统使用寿命；烧结矿整粒后，成品烧结矿粒度均匀，粉末少，一般情况下，出厂成品烧结矿中小于 5mm 的粉末由原来的 12.28％降至 7.5％，而 10mm～25mm 的粒度提高了 5.17％，高炉焦比降低了 7.31kg/t，生铁产量增加 143.2t/d，即增加 5.5％。因此，为了更好地保护环境，节约能源，并提高烧结矿产品质量，新建，改、扩建的大中型烧结机都必须采用烧结矿整粒与分出铺底料工艺。

5.7.2 “七五”以来，我国很多烧结机都采用烧结矿冷破碎和四次筛分的流程（见图 1），日本很多烧结机也采用这种流程。由于我国高炉栈桥下大块烧结矿很少，有的厂把双齿辊破碎机间隙调大，使其不起作用，有的干脆拆除不用。此后，新建和改扩建的大中型烧结机一般都不用冷破碎设备，仅设三段冷筛分工艺（见图 2）。上述两种流程能够较合理地控制烧结矿上、下限粒度和铺底料粒度，成品粉末少、检修方便、布置整齐，是一个较好的流程。而很多烧结机，采用的是其改良型，即先分出小粒度的烧结矿进三筛（见图 3）。

5.7.3 多年来，烧结矿冷振动筛多采用椭圆等厚筛。椭圆等厚筛为椭圆振动，集直线振动筛和圆振动筛两者的优点，能使物料在筛面上具有不同的筛分参数，筛分过程进一步优化，筛面上的物料易于流动、分层和透筛，因而筛分效率高（可达 85％）、处理量大；采用二次隔振系统，减振效果好，设备运转平稳、噪声低；采用三轴驱动，改善了筛箱侧板的受力状况，减小了单个轴承的负荷，提高了设备的可靠性和使用寿命。

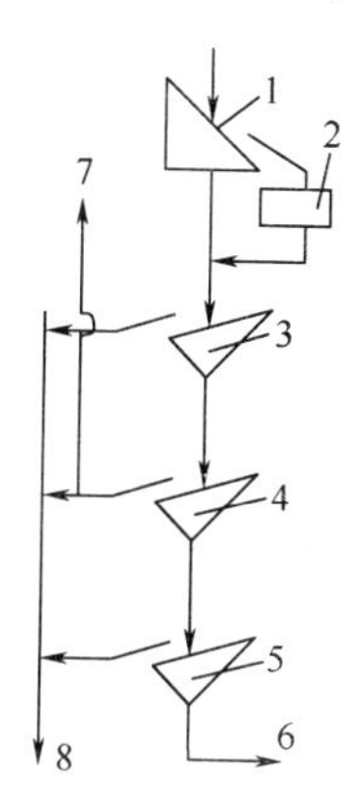

图 1　采用固定筛和单层振动筛作四段筛分的流程图

1—固定筛，筛孔 50mm；2—双齿辊破碎机；3—一次振动筛，筛孔 18mm～25mm；
4—二次振动筛，筛孔 9mm～15mm；5—三次振动筛，筛孔 5mm～6mm；
6—返矿；7—铺底料；8—成品

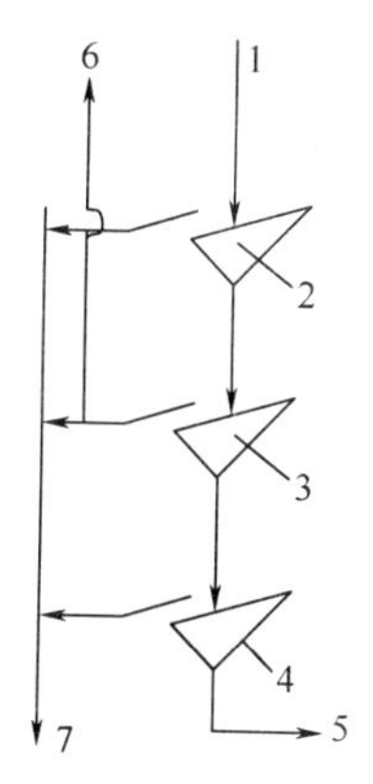

图 2　采用单层振动筛作三段筛分的流程图

1—150mm～0 烧结矿；2—一次振动筛，筛孔 18mm～25mm；
3—二次振动筛，筛孔 9mm～15mm；4—三次振动筛，筛孔 5mm～6mm；
5—返矿；6—铺底料；7—成品

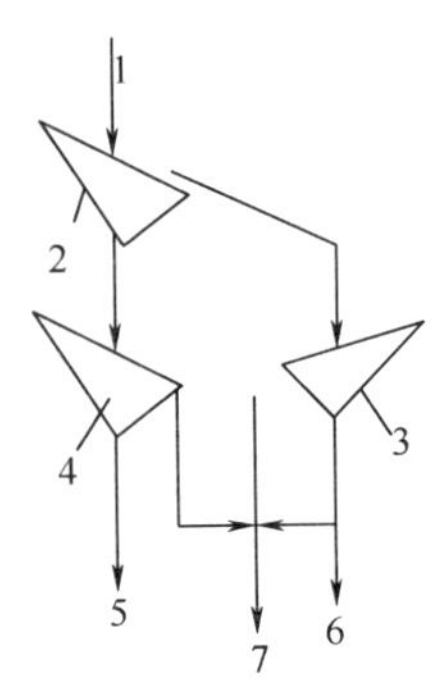

图 3　采用单层筛作三段筛分的流程图(改良型)

1—150mm～0 烧结矿;2——一次振动筛,筛孔 10mm～20mm;
3—二次振动筛,筛孔 16mm～20mm;4—三次振动筛,筛孔 5mm;
5—返矿;6—铺底料;7—成品

5.7.7　烧结厂的整粒系统应布置为双系列。双系列有三种形式:第一种形式是每个系列的能力为总能力的 50%,设置有可移动的备用振动筛作为整体更换,以保证系统的作业率。第二种形式是每个系列的能力与总生产能力相等,即一个系列生产,一个系列备用。第三种形式是每个系列能力为总生产能力的 70%～75%(或 50%),中间不再设置整体更换筛子,即当一个系列发生故障时,工厂只能以 70%～75%的能力维持生产。由于受筛子能力的限制,大型偏大的烧结机大多采用第一种、第三种形式。而第二种形式多用在中型或大型偏小的烧结机,但一些中型偏小的烧结机也可采用一个成品整粒系列并设旁通。

5.8　成品烧结矿贮存与运输

5.8.1　由于炼铁和烧结工作制度和作业率有差异,设备检修及设备事故处理不协调。为了保证高炉生产,提高烧结机作业率,有必要考虑成品烧结矿贮存。

成品烧结矿贮存一般有料场贮存和成品矿仓贮存两种方式。根据生产实践经验,矿仓贮存时间宜为 8h ～12h。大型烧结厂成品烧结矿贮存不宜设矿仓,而应设料场贮存。

6 烧结设备

6.1 配料设备

6.1.1 黏性大的含铁原料易在矿槽内产生堵料和悬料，采用圆盘给料机给料时，由于圆盘承受的料柱面积大，且通过圆盘旋转将料排出，可有效地防止堵料。

6.1.3 当每吨成品烧结矿添加生石灰量大于40kg时，生石灰不进行事先润湿，在混和和制粒过程难以消化，而影响烧结质量。生石灰在加水润湿时，会产生大量含尘蒸汽，故需设置除尘装置，即环保型消化器。

6.2 混合、制粒设备

6.2.1、6.2.2 混合制粒设备采用圆筒混合机和圆筒制粒机。大中型烧结机的圆筒混合机和圆筒制粒机应采用刚性支承托辊、齿轮转动型式；在主电动机与减速机之间采用限矩型液力偶合器；传动装置均应设置微动传动装置；滚圈与支承托辊和挡轮、开式齿轮副之间采用喷油润滑。当用多台小型圆筒制粒机时，也可采用胶轮传动型式。

在混合制粒设备内，应多方面采用强化混合制粒的措施：添加生石灰，适当提高充填率，延长混合制粒时间，含铁粉尘泥渣预先制粒，混合段装设扬料板，进料端设导料板，在圆筒制粒机内及出料端安装档圈，采用含油尼龙衬板和雾化喷水等，此外也有采用锥形逆流分级制粒的。

随着烧结设备装备水平的提高，混合设备除了采用常用的圆筒混合机外，还可采用强力混合机，该设备混匀效果好，混匀时间短，并具有润磨功能，能提高制粒的成球性。小球烧结时，采用圆盘造球机制粒可产生较均匀的小球。

6.3 烧结、冷却设备

6.3.2 烧结机风箱两端部的密封是降低烧结机漏风率的关键之一，老式烧结机采用分块式固定密封板，分块式四连杆机构的密封板等，这种形式因为块与块之间会产生夹料，密封板不能与台车底部很好地贴合，同时，活动部分与固定部分的密封（侧面密封）采用柔性石棉橡胶板等材料，安装使用过程中容易损坏，造成漏风率高。最近有厂家开发了摇摆式密封装置、柔磁密封装置等，这些密封装置的上部密封板都是采用整板式结构，侧面密封采用机械迷宫式密封，上部密封板下面设置压缩弹簧，这种形式采用了整板式结构的优点，但是受温度的影响，弹簧和磁性材料时间长了会趋于失效，密封效果因此受到影响。吸附式密封装置的上部密封板采用整板结构，密封板下部设置使密封板平行上下运动的重锤装置，运行可靠，侧面密封利用烧结机负压的吸附力使活动密封板与固定密封板紧紧地贴合在一起，密封可靠。此形式的密封装置已在国内得到广泛应用，并在日本得到成功应用。经测试，烧结机系统漏风率为16.7%～19.7%，取得了很好的效果。

带式烧结机应采用新型结构。烧结机新型结构是指：头部和尾部都采用星轮装置，使烧结机运转平稳；头部星轮自由侧轴承座要能沿烧结机纵向移动±20mm，以实现烧结台车调偏；尾部应采用水平移动架，作为台车受热膨胀的吸收机构，并设行程限位开关，移动架的平衡重锤应设事故开关，均与主机联锁；主传动装置采用柔性传动装置，并设置定扭矩联轴器及其转差检测装置，柔性传动装置本身还应有极限过载保护措施；主传动电动机和布料传动电动机均应采用变频调速三相异步电动机，头部给料采用主闸门和辅助闸门，使混合料布料平整均匀；台车梁与篦条之间设置隔热件，保护台车车体，烧结机骨架采用装配式焊接结构；风箱宜采用双侧吸入式，保证烧结机均匀抽风；烧结机头尾风箱端部密封应采用密封性好、灵活、适用、可靠的浮动式密封装置；头尾轴承、风箱滑道采用智能集中润滑系统。

6.3.3 过去，我国烧结厂普遍采用单功能的点火炉，这种点火炉能耗高，混合料表层点火质量不好。近年已逐步采用多功能的点火保温炉，由点火段和保温段组成。优点是表层烧结矿产质量改善。预热点火炉是防止点火时混合料产生爆裂的点火炉，多用于褐铁矿、锰矿烧结，也有应用于铁矿烧结的。

新型节能点火保温炉应具备如下特点：

(1)点火段采用直接点火，烧咀火焰适中，燃烧完全，高效低耗；

(2)点火炉高温火焰带宽适中，温度均匀，高温持续时间能与烧结机速匹配，烧结表层点火质量好；

(3)耐火材料采用耐热锚固件结构组成整体的复合耐火内衬，砌体严密，寿命长；

(4)点火炉的烧咀不易堵塞，作业率高；

(5)点火炉的燃烧烟气有比较合适的含氧量，能满足烧结工艺的要求；

(6)采用高热值煤气与低热值煤气配合使用时可分别进入烧咀混合的两用型烧咀，煤气压力波动时不影响点火炉自动控制，节约了煤气混合站的投资；

(7)施工方便，操作简单安全。

6.3.4 我国大中型烧结机机头都采用高效卧式干法电除尘器处理烟气，除尘效率高，目前能满足国家对排放标准的要求，而且稳定、维修简单、运行可靠。烧结机头采用的电除尘器又有超高压宽极距与普通型之分，其性能比较见表20。大型偏大的烧结机宜选用超高压宽极距电除尘器。

6.3.5 主抽风采用变频调速是烧结厂节电的主要措施。目前我国在设计主抽风的风量和负压时，考虑到使用原料的多样化和工况的变化，同时为今后的增产创造条件，其风量和负压均留有较大的富余量。根据生产要求要对风量和负压调节时，如果不是变频调速，只能靠阀门来调节，其电流值变化小，能耗浪费在阀门上。变频调速是通过改变风机的转速来改变其风量和负压，其电机电流值随之改变，起到节电的目的。国内某厂一台 450m^{2}烧结机在产量和质量保持不变的条件下，主抽风机在没采用变频运行前，运行电流为 350A～360A，采用变频运行后，运行电流为 190A～200A，节电效果很明显。但采用变频运行，其一次投资较高。

表 20　超高压宽极距与普通型电除尘器比较

指标名称	超高压宽极距	普通型
电压(kV)	90	50
机内速度(m/s)	1.3	1.0
可捕集粉尘粒子(μm)	>0.01	>0.1
除尘比电阻(Ω·cm)	10^1～10^{14}	10^5～10^{11}
极线	星型	芒刺型
极板	C 型	CSV 型
间距(mm)	600	300
维修运行	维修方便，运行稳定	不方便，不稳定

6.3.6　近年来，液密封环冷机得到推广和广泛的应用，该设备冷却效果好，漏风率小于 10%，比传统的环冷机节电 1.0kW·h～1.5kW·h。

6.3.7　大中型烧结机单辊破碎机辊轴轴心、辊轴轴承座应通水冷却。大型单辊破碎机的篦板可调头使用，通水与否视具体情况而定。辊齿齿冠和篦板工作部位均应堆焊高温耐磨合金焊条，冷态时表面硬度 HRC≥60。单辊传动电动机与减速机之间应设置定扭矩联轴器和转差检测装置。

6.4　烧结矿整粒设备

6.4.1　近年来，烧结厂也采用棒条筛作为筛分设备，该设备重量轻，易于更换筛条，且筛分效果好，电耗低，相对投资省。

6.4.2 高炉生产要求烧结矿中小于5mm的返矿小于或等于5%。故返矿振动筛的筛分效率需大于90%，才能满足高炉生产要求。而铺底料振动筛的筛分效率只要70%左右就能筛分出足够的铺底料量。

7 节能与环保

7.1 节　　能

7.1.1 我国烧结厂的工序能耗包括：固体燃料（焦粉和无烟煤），点火煤气、水、电、蒸汽、压缩空气、氮气、余热回收的蒸汽等。由于近年来不断开发应用新工艺、新技术、新设备和新材料，我国烧结机的工序能耗逐年下降。

根据《清洁生产标准》HJ/T 426～428 规定，一级清洁生产水平其工序能耗为≤47kgce/t，从目前生产实际情况看，其工序能耗的分项指标，除固体燃耗有差别外，其余均能达到。而且电的折算系数采用当量值计算，比原有折算值小了约 70%。特别是将余热回收纳入了工序能耗计算中后，余热回收每吨烧结矿产生的蒸汽可达 100kg/t-s ～120kg/t-s。收支加减后可以达到工序能耗≤47kgce/t 的标准，同时根据国家对钢铁项目审批要求，烧结项目的工序能耗也要求达到一级水平。但对于钒钛矿、褐铁矿、菱铁矿等难烧结的含铁原料，可根据配矿量比例适当提高工序能耗指标。

点火煤气取值为：采用焦炉煤气、天然气作为点火燃料时煤气单耗应小于或等于 0.065GJ/t-s。采用转炉煤气作为点火燃料时煤气单耗应小于或等于 0.08GJ/t-s。采用高炉煤气作为点火燃料时宜采用煤气、空气双预热点火保温炉，煤气单耗应小于或等于 0.16GJ/t-s。

7.1.2 先进而又节能的烧结新工艺、新技术，包括厚料层烧结、低温烧结、小球烧结、高铁低硅烧结、热风烧结、燃料分加等。节能型的设备，包括新型结构、漏风量小的带式烧结机，新型节能点火保温炉，高效振动筛，高效率的主抽风机及低耗损的变压器等。

7.1.12 烧结能耗的降低依赖于投入能源，包括固体燃料、煤气、电等的减少和余能余热的回收利用。前些年，我国已有不少大中型烧结机利用热管、翅片管余热锅炉回收冷却机的余热，但效率较低，近几年随着技术进步，余热回收都采用余热锅炉方式生产蒸汽或者发电。直联炉罩式余热锅炉是一种新型冷却机余热利用锅炉，它将余热锅炉的高参数段直接布置在冷却机前部风罩上部，与常规布置在冷却机外侧的余热锅炉相比，它能够利用烧结矿的辐射热、减少烟气管道的散热损失、提高蒸汽温度并提高余热锅炉的蒸汽产量、减少管道阻力、降低风机电耗、减少工程造价。已有多例投入运行，它是现有技术的替代产品。

7.2 环 保

7.2.2 烧结烟气中的主要有害气体是 S 和 N 的氧化物以及 As、F 等化合物。降低烟气中这些有害气体的主要方法是宜选用优质原料、熔剂和固体燃料，采用有害气体发生量少的新工艺、新设备、新技术。国内有台 $450m^2$烧结机通过配矿使原料中的含 S 成分降低，进而再通过增高烟囱，使烟气中的 SO_x浓度达到国家排放标准。采用这种低 S 原料，经计算 SO_2 排放量为 1992kg/h。按 0.006ppm 着地浓度标准，当采用 200m 高烟囱稀释时，允许 SO_2 排放量为 2760kg/h，故不需采取脱除措施。预计将来原料含 S 量有增高的可能性，而预留了脱除设施的位置。在工艺上也采用了双降尘管、双除尘系统的技术。

烟气脱 SO_x技术在日本不少厂已经采用，技术上行之有效，但烟气量大，SO_x浓度又低，治理措施投资大，不少方法还有二次污染。目前我国大中型烧结机采用高烟囱扩散稀释的方法仍占主导地位，而另一些大中型烧结机正在设计脱 SO_x装置。

烟气中有害气体采用一般方法达不到国家、行业和地方规定的排放标准时，必须采取有效的措施，强制脱出烟气中的有害气体。

脱硫方法有钢渣石膏法、氨硫铵法、氢氧化镁法和石灰石膏法、碳吸附法等，脱 SO_x 率均在 90%左右。烧结烟气脱 NO_x 的方法较多，如湿式吸收法、干式法、接触分解法、选择和非选择还原法等。日本川崎公司千叶 4# 烧结机烟气脱 SO_x 脱 NO_x 同时进行，较为合理。脱 NO_x 效率在 90%以上。国内烧结烟气脱 F 后得到的产品是炼铝工业的主要原料——冰晶石。

7.2.3 机头除尘器最后电场收下的过细灰尘，以及含 As 等有毒有害的散落物、粉尘及半成品等，不仅要防止二次污染产生，设计中还必须规定严加管理，不准流失。

钢铁公司的含铁粉尘泥渣湿料和干料宜分别进行处理。转炉泥等湿料经处理后送烧结圆筒混合机或加至烧结配料胶带机的料面上，也可与高炉返矿一起搅拌送烧结或原料场。干料经配料、混合、造球后送烧结，也可分别送原料场经混匀后作为烧结原料利用。

近年国内建设的大中型烧结机，环境除尘多采用袋式除尘器和电除尘器。这些除尘器效率高，经处理后排出的废气含尘浓度均能达到国家排放标准。条件允许时应优先采用除尘效率比电除尘器高的袋式除尘器。

烟气和环境除尘应采用高效干式除尘器，因为干式粉尘回收利用简单，便于管理，费用低。

《钢铁烧结、球团工业大气污染物排放标准》GB 28662—2012 规定，产生大气污染物的生产工艺装置必须设立局部气体收集系统和集中净化处理装置，达标排放。所有排气筒高度应不低于 15m。排气筒周围半径 200m 范围内有建筑物时，排气筒高度还应高出最高建筑物 3m 以上。

7.2.5 烧结厂的噪声主要来自各种运转设备以及管道阀门等。在设备不断大型化的同时，这种噪声也越来越严重。设计中必须采取措施，防治噪声。防治的办法，目前国内外大多采用低噪声工艺和低噪声设备以及采用隔声、吸声、消声、减振、防止撞击等措施，使噪声达到国家控制标准。

7.2.6 烧结厂绿化不仅能美化环境，而且还能起到吸收有害气体、过滤灰尘、降低噪声以及防风抗旱等作用，对调节小气候，改善环境很有益。但厂区绿化与“三废”治理有密切关系，必须综合考虑。废气净化不好，实现绿化有困难，树木、花草的成活率也不高。因此，烧结厂绿化面积的多少，已成为烧结厂环境保护水平的重要标志之一。

8　电气与自动化

8.2　自　动　化

8.2.1　新建的大中型烧结厂，应具有较高自动控制水平，应设置完善的过程检测和控制项目，采用三电合一计算机控制系统，并应用国内先进、成熟的烧结控制软件，实现全厂生产过程自动控制。仪表检测、控制参数均纳入到计算机控制系统，通过计算机控制系统，对生产过程进行集中操作、监视、控制和管理。

(1)具有完善的工艺过程参数检测，主要的检测控制项目如下：

矿槽料位连续测量及越限报警、联锁；

混合机添加水低压报警、联锁；

混合机添加水流量测量与控制；

混合料水分测量与控制；

烧结机速度、圆辊给料机速度测量及控制；

点火炉温度测量与控制；

点火炉煤气、空气流量测量；

点火炉炉内微压测量；

点火炉煤气、空气压力测量及低压报警，低压切断煤气管煤气；

煤气总管压力测量与控制；

风箱废气温度、负压测量；

大烟道废气温度、负压测量；

烧结机料层厚度测量及控制；

环冷机速度测量及控制；

板式给矿机速度测量及控制；

铺底料槽、混合料矿槽、环冷机卸矿槽料位连续测量及控制；
环冷机烧结矿温度检测；
环冷机冷却风机出口压力测量；
主要工艺设备冷却水低压、低流量报警、联锁；
主要风机电机轴承温度、定子温度测量、极限报警；
主抽风机室 CO 含量测量、极限报警；
点火炉旁 CO 含量测量、极限报警；
主电除尘器出口烟气粉尘浓度测量；
主电除尘器出口烟气 SO_2、NO_x、CO 含量测量；
主电除尘器出口烟气负压、温度、流量测量；
主电除尘器灰斗料位上、下限报警联锁；
进厂原料、出厂成品、能源介质计量；
除尘器进出口废气负压测量；
除尘器出口废气流量测量；
除尘器出口废气粉尘浓度测量；
除尘器灰斗料位上、下限报警联锁。
(2)具有先进的控制功能，主要包括以下项目：
配料槽料位管理；
配比计算及控制；
混合料加水控制；
混合料槽料位控制；
料层厚度控制；
返矿槽料位控制；
铺底料槽料位控制；
环冷机卸料矿槽料位控制；
点火炉燃烧控制；
烧结终点计算与控制；
烧结机、圆辊给料机、环冷机速度控制。
(3)具有与生产操作要求相适应的先进的工况管理手段，主要包括以下内容：

原料和产品的理化性能、成分、质量指标分析；

生产报表的打印；

报警数据的记录；

重要工艺参数的趋势记录；

与上级管理及有关部门的数据通信网络。

9 辅助设施

9.1 总图运输

9.1.1 烧结矿不适合进行长途运输和多转次运，因此，烧结厂应选择钢铁公司内建设。烧结矿是炼铁的主要原料，因此，烧结厂宜靠近炼铁厂(车间)。

9.1.2 满足工艺流程要求是总图运输设计的首要原则。在满足工艺流程要求的前提下，做到物流顺捷和布置紧凑，有利于尽量减少转运次数和转运站的数量，减少物料运输的能源消耗。在满足消防和检修的情况下，建筑物布置也要尽量紧凑，做到节约用地。根据工艺和功能的特点，做到分区明确，以方便生产的操作和管理。

9.1.4 在有利于除尘、电力、给水、给气等辅助设施功能发挥的前提下，要注意缩短管线的长度，减少能源介质的损耗，合理降低投资，特别是风管、电缆等价格较高的管线。

9.1.6 管线共沟、共架敷设不仅有利于减少沟槽开挖量和支架工程量，减少投资，而且有利于管理和厂区的整体形象，因此要尽量做到共沟、共架敷设。另外，管线共沟、共架敷设还应满足现行国家标准《钢铁冶金企业设计防火规范》GB 50414 中对其防火、防爆的要求。

9.2 除尘、通风、空调、采暖

9.2.1 烧结生产采用的原料、燃料、熔剂、烧结矿、返矿、铺底料等都是很细的粉状物料，在贮运和生产过程中都极易引起扬尘，污染工厂环境。因此，应设有除尘设施，其中包括设备的有效密封、粉尘的收集及管网、除尘风机、排气筒等。

9.2.2、9.2.3 因为燃料及熔剂在烧结过程中均需要按一定比例混合，且如果燃料或熔剂与别的物料合并除尘系统，除尘器收集的粉尘在进入烧结过程中经难以控制燃料或熔剂的比例，所以燃料及熔剂宜分别独立设置除尘系统。

原料、配料、烧结及冷却、整粒和成品矿槽的除尘系统是集中处理方式还是独立设置，应从以下几个主要方面综合考虑：

(1)集中处理方式是指两个或两个以上工序合并设置除尘系统，在具备条件时应优先选择。

(2)工作制度，如成品矿槽的作业率较低时宜独立设置除尘系统，以节省运行费用。

(3)根据烧结机的规模考虑是否合并除尘系统。合并后的除尘器不应过大，因为除尘器过大会导致本体结构设计复杂、制作加工困难及运行时除尘效果难以保证。

(4)除尘系统主要由除尘管路、除尘器、除尘风机(可能设在风机房内)、消音器、排气筒等组成，合理确定除尘系统在总图布置位置是尤为重要的。

(5)对建设的初次投资及运行费用进行比较。

除尘器主要有两种形式：袋式除尘器和电除尘器。电除尘器使用成熟，维护简单，在《钢铁烧结、球团工业大气污染物排放标准》GB 28662 发布前被广泛采用，但目前经电除尘器处理后排出的废气含尘浓度要长期达到国家排放标准有一定的难度；袋式除尘器近年来技术有很大进步，滤袋材质和维护检修得到充分的改善，且经袋式除尘器处理后排出的废气含尘浓度能够达到国家排放标准；因此目前应优先采用袋式除尘器。

9.2.4 除尘器收集的粉尘具有很高的回收价值，根据烧结工艺的特点，此部分粉尘与其他物料混合后进入烧结机进行烧结，达到充分回收利用的目的。

粉尘回收的输送方式通常有机械输送、气力输送、机械输送与气力输送相结合的方式，至于采用何种输送方式，需根据不同的除尘系统及其在总图的位置来具体确定。外运的粉尘宜用机械输送将粉尘集中输送至贮灰仓，经贮灰仓缓冲后再进行粉尘的外运。

9.2.5 除尘管道中易受冲刷部位主要指弯管及三通管。目前，在烧结工程中使用较多的耐磨措施有耐磨管壳、耐磨浇注料、耐磨铸石、耐磨陶瓷及碳化硅等。

9.2.6 主要是从各烧结系列的作业率、作业制度及检修、运行维护和节约能源等方面考虑。

9.2.7 用来改善维护、检修人员的工作条件。设置地点有烧结机头部操作区、烧结机尾部操作区、热振筛平台等处。

9.2.8 用于提供人员的新风及消除余热、余湿。机械通风可采用机械送风、自然排风或机械排风、自然补风。

9.2.10 厂区内对温度有要求的房间应设置空调，这些房间主要指：

1 设置采暖通风系统不能满足温度要求的房间，或条件不允许、不经济时。

2 有舒适性要求的房间。

9.2.11 在严寒和寒冷地区根据有关规定设置采暖设施，满足生产操作管理的需要。为防止燃料与采暖设备接触引起自燃，限制散热器入口处的热媒温度从而达到限制散热器表面平均温度的目的。

变压器室、电气控制室、配电室等电气设备间装有各种电气设备、仪器仪表和高压带电的电缆，不允许采暖管道及采暖设备漏水、漏气。

工艺的原料系统、燃料系统、混合料系统可能含水量较高，当环境温度高于5℃时，能保证物料的贮运过程不被冻结，以保证生产的需要。

9.3 给水、排水

9.3.1 工业给水是工业给水系统的总称，包括了生产新水、软水、除盐水、纯水等,可根据不同的需求进行接入。

9.3.2 烧结厂给水管的接入管径要求是:当有给水调节设施的时候,按平均时水量计算管径,当没有给水调节设施的时候,按最大时用水量计算管径。

9.3.3 循环水系统可以根据环境和水质的情况选择间冷开式或间冷闭式循环系统,当原水硬度较高的时候也可以软化后作为循环水。为防止结垢、悬浮物及藻类的生长等堵塞管道,对循环水必须进行处理。处理设置的依据和方法:当使用地表水作为水源,原水硬度较小且用水量小于 $1000m^3/h$,宜采用磁化处理器、离子棒、静电除垢器和电子处理器等物理方法进行处理;当使用地下水作为水源,原水硬度较大且水量大于 $1000m^3/h$,宜采用投加缓释剂、阻垢剂及杀菌灭藻剂等化学方法进行处理。循环系统设置在线检测仪表,可以根据检测参数控制补水和排污,保证水质稳定,减少排污,节约水资源。

9.3.4 回用水包括生产废水、除尘废水及其他可以被重复利用的废水。为了节约用水,实行水的串级使用,可以提高循环水利用率。

9.3.5 烧结厂的消防主要有室外消防给水系统、室内消火给水系统,当外部有两路水源,并且能够满足消防流量和压力的要求,可以直接从外部管道上接管,否则就必须设置消防水池和加压设施。消防给水系统应符合现行的国家标准《钢铁冶金企业设计防火规范》GB 50414 的有关规定。

9.3.6 为了节约水资源,生产车间、转运站及通廊的室内地坪清洁卫生,不宜采用水流直接冲洗地坪,宜采用洒水清扫地坪,洒水宜采用回用水。

9.3.7 高位水箱的调节容积应根据用水量变化曲线或使用条件经过计算确定,通常按照最高日用水量的5%计算。高位水箱设在顶层,可满足供水水压的要求和减少工程量。

9.3.8 煤气管道排水器的排水含有多种有害物质,不能直接排放，由于是间断排水，水量也小且排水点分散，不适宜单独处理。收集后集中处理，经济合理，也有利于提高水的循环率。

9.4 压缩空气设施

9.4.1 烧结工程所需压缩空气，主要用于粉尘气力输送、自动化仪表及气动执行机构、捅矿槽和设备清扫等。当气源由外部引入时，虽能节约投资，统一管理，但在用气高峰时，由于输送距离较远，压力和气量往往不能保证生产要求。因此，宜自建专用压缩空气站。

烧结厂内压缩空气用气压力范围一般在 0.5MPa～0.7MPa 之间，且均需进行净化处理；供气系统总的压力损失约 0.15MPa，因此，当由外部气源供气时，要求送至烧结厂交接点处的压力不应小于 0.65MPa。

9.4.2 常用压缩空气干燥装置有冷冻式、无热再生吸附式和加热（余热）再生吸附式，三种方式各具特点和一定的使用范围，需根据用户对压缩空气露点要求及处理空气量的多少、当地气象条件、压缩机的类型等因素，经技术经济比较后确定。

在满足用气设备露点要求的前提下，由于冷冻式干燥器具有节能优势，宜优先选用。虽然冷冻式干燥装置能耗低，在处理高含湿量及较大空气流量时性能好，但其只能将空气的压力露点降至 2℃～10℃，稳定的压力露点在 3℃及以上，因此，当要求压缩空气的压力露点低于 3℃时，应选用吸附式干燥器。由于离心式压缩机排气中的热量方便利用，因此，离心式压缩机宜配套选用余热再生型吸附式干燥器，有利节能。

9.4.4 空气压缩机联动控制系统可根据系统压力和需求变化，通过系统分析来控制多台压缩机按照程序设定顺序启停、加卸载以及气量调节，维持供气系统压力的稳定和整个系统的高效运行。与人工控制设备运行相比，压力控制精度更高，对系统需求变化做出反应更及时，可靠性更高，适用于多台螺杆空气压缩机同时运行的供气系统，可实现站房无人值守、自动运行。

9.4.5 风冷式空气压缩机组工作中所产生的冷却热风如直接排放在室内，会影响室内环境和机组的正常运转，故其冷却风宜排至室外。寒冷地区，当压缩机冷却风进风管、排风管与室外直接连通时，如压缩机组处停机状态，室外冷风会进入机组内，导致机组中部分管路结冻，无法正常启动。因此，应在冷却风进风管、排风管上装设风量调节阀门，当机组工作时，根据需要调节进风量；当机组不工作时，关闭进风管和排风管。

9.4.6 压缩空气供气主管上设压力、流量检测仪表是为了检测供气气源的压力、流量是否达到用气要求；检测数据上传至主控制室便于操作人员进行远程监测和能源介质汇总统计。

9.5 建筑、结构

9.5.2 为了生产操作安全、方便及满足现行国家标准《建筑设计防火规范》GB 50016的要求，钢梯采用的角度宜尽量放缓，在场地允许的条件下一般采用角度为35.5°、45°，尽量不采用大角度59°、73°的钢梯（疏散用钢梯角度在59°以下）；疏散用的钢梯宽度应该等于或大于900mm，一般生产使用的钢梯宽度等于或大于700mm，检修使用的钢梯宽度等于或大于600mm；另考虑厂区室外钢梯易于积灰、积雪的情况，钢梯踏步板宜采用钢格栅板。

在平台、通道或工作面上可能使用工具、机器部件或物品，为防止一些物件被操作工人不小心踢到下层楼面，各类临空面边缘的钢栏杆底部必须加设高度不小于100mm的防护板（即踢脚板）。

9.5.3 根据烧结冷却室生产工艺，车间内热量大、温度高，所以全封闭的厂房应考虑加设通风天窗或屋顶通风器进行散热。

9.5.4 由于海水、海风含有多种化学腐蚀性介质，对金属构件具有一定的腐蚀性，为了延长厂房的门窗使用寿命，宜尽量采用防腐蚀能力强的类型的门窗。

9.5.5 在厂房结构设计中，要注意设备的动力影响，尤其是高速运转的风机、振动筛等，以及设备运转产生的水平推力。

9.5.7 工业建筑中，一些因生产工艺要求而造成的特殊问题的抗震设计，与一般建筑工程不同，需由有关的专业标准予以规定。

9.5.9 为了加快建设速度，方便安装及今后的改造拆除，国外烧结工程厂房建设结构都采用钢结构。在国内，跨度大于8m，高度大于15m的运输通廊，为便于施工和加快施工进度，在工程建设中常采用钢结构。但目前国内由于钢结构比混凝土结构造价高，因而大多采用混凝土结构。但随着发展模式的改进和技术进步，加工施工进度和有利技术改造，在大型烧结工程建设中，提倡采用钢结构。

10　成品烧结矿质量、计量、检验、化验与试验

10.1　成品烧结矿质量

10.1.1　国内大中型烧结机 2011 年成品烧结矿质量实例见表 21。

表 21　国内部分大中型烧结机 2011 年成品烧结矿的质量

序号	合格率（%）	一级品率（%）	TFe（%）	FeO（%）	SiO_2（%）	CaO/SiO_2（倍）	CaO/SiO_2 ≤±0.08	TFe≤±0.5（%）	ISO 转鼓指数（%）	出厂含粉率 <5mm（%）
1	100	95.4	57.63	8.32	4.73	2.05	97.63	97.78	83.46	4.1
2	98.49	97.24	55.65	7.59	5.74	1.87	93.48	66.54	79.74	5.75
3	97.66	93.79	57.24	8.01	5.20	1.97	93.95	97.37	80.70	4.14
4	99.98	99.64	57.11	8.22	5.06	1.88	99.64	100	78.31	2.70
5	99.96	90.6	49.02	7.81	5.64	2.21	90.79	99.88	73.16	—
6	99.13	96.27	57.06	7.77	5.76	1.77	95.73	100	79.16	4.47

10.2　计　　量

10.2.1　烧结厂固体物料的计量和监测的目的是为了厂际之间的分项结算，分项考核及成本核算。同时也是为了保证固体物料的质量要求。计量和监测的项目为重量和质量。

固体物料的计量包括热返矿计量和冷固体物料的测量与计量。

(1)热返矿计量：由于热返矿温度高，可采用冲板式流量计测量；也可增大热返矿槽容积，在机尾用热返矿圆盘给料机配料。

(2)冷固体物料的测量与计量：一般采用电子皮带秤进行测量与计量。烧结厂安装电子皮带秤比较普遍，对于汽车和火车运输进厂的冷固体物料的计量则分别采用汽车衡和火车衡设备。用电

子秤计量主要有：

1)含铁原料、熔剂、燃料、辅助原料；

2)成品烧结矿输出；

3)高炉返矿；

4)厂内铺底料；

5)厂内冷返矿等。

10.2.2 烧结厂能源介质的计量和监测是为了满足对能源分项结算，分项考核及单位烧结矿吨能耗统计的要求。烧结厂属于次级用能单位，其能源计量和监测的管理单位为钢铁企业的能源管理中心，数据需传输至能源管理中心，以集中管理。

10.2.3 气态及液态能源计量及监测器具的配置应符合以下规定：

(1)煤气流量计量宜采用差压式流量计，须进行温压补正；

(2)天然气、蒸汽流量计量宜采用涡街流量计和差压式流量计，须进行温压补正；

(3)氧气、氮气、压缩空气流量计量宜采用热式流量计、涡街流量计和差压式流量计。采用涡街或差压式流量计，须进行温压补正；

(4)水流量的计量可采用差压式流量计、超声波流量计、电磁流量计；

(5)压力监测宜采用压力变送器；

(6)温度监测宜采用热电阻或热电偶。

10.3 检验、化验、试验

10.3.1 大中型烧结机取样量大，取样项目多，精确度要求高，宜采用定时自动取样。对于劳动环境不好和有危险的场合，更应采用定时自动取样。

自动取样设备有带式取样机、截取式取样机、溜槽截取式取样机、箱式取样机等。带式取样机适用于料流大的粉状物料、混合料、烧结矿等。对于取样量不太大和少量取样时，可采用溜槽式和箱式取样机。其他回转式、勺式等取样机，可根据具体情况选定。

10.3.2 原料检验内容主要是物理性能（粒度、水分等）和化学成分。烧结矿检验除物理性能、化学成分外，尚应进行冶金性能检验。检验方法，应按国家标准、行业标准以及有关规定执行。

10.3.3、10.3.4 烧结厂对原燃料熔剂及其成品的测定项目、检验分析内容、取样制度和取样地点，各厂差别不大。

取样制度与检验分析内容有关。检验分析内容不同，取样制度也不同。对生产操作影响明显的项目，取样次数应增加。

取样地点因物料运输方式、贮存设施、加工设备、料流转运状况等不同而异。

测定项目与检验分析内容，根据原料成分不同相应有所增减（如对有害元素 As、Sn、Pb、Zn 是否进行分析等）。

测定项目与检验分析内容、取样制度、取样地点见表 22。

10.3.5 烧结厂设立烧结试验室（或集中在钢铁公司试验中心）的主要目的是为了探讨提高烧结矿产量和质量以及降低消耗的措施和开发新工艺。对于原料条件复杂和多变的烧结厂，通过试验找出适宜的配比和最佳的烧结制度。

试验室试验项目通常有变料试验、条件试验以及其他试验（如烧结脱硫、烧结参数确定等）。

表 22　烧结厂原料、成品取样制度与取样地点

取样对象	测定项目	检验分析内容	取样制度	取样地点
粉矿、筛下粉矿、混匀矿	粒度组成（mm）	+10，10～8，8～5，5～3，3～1，1～0.5，0.5～0.25，0.25～0.125，0.125～0	1次/d	进厂前
	成分	TFe，FeO，CaO，SiO_2，MgO，Al_2O_3，S，P，Na_2O，K_2O，烧损	1次/d	进厂前
	水分	—	1次/班	进厂前

续表 22

取样对象	测定项目		检验分析内容	取样制度	取样地点
高炉返矿	粒度组成(mm)		+5,5～3,3～1,1～0.5,0.5～0.25,0.25～0.125,0.125～0	1次/2d	配料槽
	成分		TFe,FeO,CaO,SiO_2,MgO,Al_2O_3,MnO,S,P,C	1次/5d	配料槽
原料、烧结、高炉、转炉尘	粒度组成(mm)		+0.5,0.5～0.25,0.25～0.125,0.125～0.074,0.074～0	1次/10d	粉尘槽
	成分		TFe,CaO,SiO_2,MgO,Al_2O_3,MnO,TiO_2,P,S,Zn,Cu,C	1次/月	粉尘槽
高炉泥、转炉泥	水分		—	1次/5d	粉尘槽
	成分		TFe, CaO, SiO_2, MgO, Al_2O_3, P, TiO_2,S,C	1次/5d	粉尘槽
焦粉	粒度组成(mm)	破碎前	+25,25～20,20～15,15～10,10～5,5～0	1次/d	燃料破碎室
		破碎后	+5,5～3,3～1,1～0.5,0.5～0.25,0.25～0.125,0.125～0	1次/8h	粉焦胶带输送机
	成分		挥发分,S,C,灰分(CaO,SiO_2,Al_2O_3,MgO)	1次/月	粉焦胶带输送机
石灰石、白云石	粒度组成(mm)	破碎前	+80,80～40,40～25,25～10,10～3,3～0	1次/班	熔剂仓
		破碎后	+10,10～5,5～3,3～1,1～0.5,0.5～0.25,0.25～0.125,0.125～0	1次/班	石灰石粉胶带输送机
	水分		—	1次/班	配料槽
	成分		CaO,SiO_2,MgO,Al_2O_3.烧损	1次/5d	配料槽
			TFe,CaO,SiO_2,MgO,Al_2O_3,P,S,烧损	1次/月	配料槽

续表 22

取样对象	测定项目	检验分析内容	取样制度	取样地点
生石灰	粒度组成(mm)	+3,3～1,1～0.5,0.5～0.25,0.25～0.125,0.125～0	1次/班	配料槽
	成分	SiO_2，CaO，MgO，Al_2O_3，S，活性度，残留 CO_2，烧损	1次/月	配料槽
返矿	粒度组成(mm)	+10,10～8,8～5,5～3,3～1,1～0.5,0.5～0.25,0.25～0.125,0.125～0	1次/d	返矿胶带输送机
	成分	TFe,CaO,SiO_2,MgO,Al_2O_3,TiO_2,MnO,S,P	1次/5d	返矿胶带输送机
		TFe,FeO,CaO,SiO_2,MgO,Al_2O_3,TiO_2,MnO,Zn,Na_2O,K_2O,Pb,S,P,C	1次/月	返矿胶带输送机
混合料	粒度组成(mm)	+10,10～8,8～5,5～3,3～1,1～0	1次/班	制粒后胶带输送机
	水分	—	1次/班	制粒后胶带输送机
	成分	TFe,FeO,CaO,SiO_2,MgO,Al_2O_3,TiO_2,MnO,S,P	1次/2d	制粒后胶带输送机
		TFe,FeO,CaO,SiO_2,MgO,Al_2O_3,TiO_2,MnO,Zn,Na_2O,K_2O,Pb,Cu,S,P,C	1次/月	制粒后胶带输送机
成品烧结矿	粒度组成(mm)	+40,40～25,25～10,10～5,5～0	1次/2h	成品胶带输送机
	转鼓强度	经标准转鼓试验后，+6.3mm 百分比含量	1次/2h	成品胶带输送机
	低温还原粉化率	按标准检验方法检验后，+3.15mm 百分比含量	1次/4h	成品胶带输送机

续表 22

取样对象	测定项目	检验分析内容	取样制度	取样地点
成品烧结矿	还原度	按标准检验方法还原后测定还原性	1 次/2d	成品胶带输送机
	成分	TFe，FeO，CaO，SiO_2，MgO，Al_2O_3，TiO_2，MnO，P，S，	1 次/4h	成品胶带输送机
		TFe，FeO，CaO，SiO_2，MgO，Al_2O_3，MnO，TiO_2，S，P，Zn，Na_2O，K_2O，Pb，Cu，C	1 次/月	成品胶带输送机
铺底料	粒度组成（mm）	+25，25～20，20～10，10～5，5～0	抽查	铺底料胶带输送机

11 设备检修

11.0.1 烧结厂设备备件与易耗件的品种主要有铸钢件、铸铁件、锻件、铆焊件、结构件、有色金属铸造加工件等。这些备品备件数量很大，而且加工件占一半以上。国内外烧结厂均是由钢铁公司统一考虑。烧结易损易耗件见表23。

表23 日常易损易耗件消耗参考指标

名　　称	单　　位	消耗指标
热筛筛板	kg/t 烧结矿	0.001～0.008
单辊破碎机齿冠	kg/t 烧结矿	0.007～0.018
四辊破碎机辊皮	kg/t 烧结矿	0.015～0.020(破碎碎焦)
冷筛筛板	kg/t 烧结矿	0.005～0.010
锤碎机锤头	kg/t 石灰石	约为 0.070
普通运输带	m^2/t 单层	0.020～0.050
炉篦	kg/t 烧结矿	0.020～0.060
润滑油	kg/t 烧结矿	0.010～0.040

11.0.2 根据国内外的先进经验，在烧结厂的设备检修中，整体更换(或部件或组装件)可缩短检修时间，有利于提高检修效率。整体更换的规模范围视具体条件与经济状况而定，不宜过多。由于检修条件、技术装备和检修环境等因素的限制，而影响检修进度与质量时，要重点考虑。

11.0.3 烧结厂可设机械维修车间或检修站，承担烧结机械设备的检查维护、清洗、调整、更换易损件、修补金属构件、加油润滑以及少量配件的加工和制作等。

11.0.4 烧结风机是烧结生产的关键设备，其价格昂贵，必须精心维护与使用。风机转子在下述情况下，必须进行动平衡试验：

(1)风机转子在安装使用前；

(2)转子磨损经过修补后等。

转子动平衡试验应由钢铁公司统一考虑或外协解决。因为转子平衡台是一种精密而又昂贵的设备，对安装、使用条件和维护管理要求很高，因此必须考虑该设备的利用率和经济效益。

11.0.6 烧结设备检修用起吊设备，应根据烧结厂的规模、设备规格、数量的多少，检修性质、检修周期和检修内容而定。转运站标高12m以上宜设置电葫芦。1×450m^{2}烧结机设备检修用起吊装备见表24。

表24 1×450m^{2}烧结机设备检修用起吊装备

设备名称	主要技术规格	台数	用　途
电动桥式起重机	60/20t，跨距17.3m	1	烧结机尾及单辊检修
	20t，跨距17.3m	1	烧结机头及点火炉检修
	75/20t，跨距14m	1	主抽风机检修
电动单梁起重机	15t，跨距3.8m	1	烧结主厂房±0.00平面台车修理
	15t，跨距11m	1	冷破碎及一次冷筛修理
	3t，跨距8m	1	二次成品筛修理
	3t，跨距10m	2	三次、四次成品筛修理
	7.5t，跨距13m	1	粉焦棒磨机传动装置及衬板修理
电葫芦	3t	1	混合料槽及返矿槽修理
	5t	2	单辊篦齿及环冷机台车修理
	10t	1	环冷鼓风机修理
	1t	3	粉焦缓冲仓衬板及胶带机、配料槽下胶带机、圆辊衬板反射板修理
	2t	3	粗焦筛、粉焦筛、反击式破碎机修理

12 安全、工业卫生与消防

12.0.2 烧结厂设计必须有完备的消防、防爆、防雷电、防洪设施，并应符合国家的有关规定。根据产生易燃物质及构成爆炸因素的危险程度不同，对建筑物应采取耐火防爆以及厂区消防供水、报警信号、通信联络等措施。

12.0.3 设备安全运转主要是指设备过载保护、高温保护、润滑及冷却装置、限位缓冲装置、检测信号装置、安全场所与安全距离等。

12.0.4 电气安全必须执行国家有关电气安全规范规定。劳动环境恶劣场所采用封闭防爆式电气装置。电气设备要有防护和接地装置，煤粉、油罐必须有防止静电及带电作业防护装置等。

12.0.5 防伤害与保障人身安全是指必须设置安全通道、扶梯栏杆、安全标志、安全色、孔洞与沟槽的盖板、管道警告标志、保护罩、防护服等。

工业卫生方面，在设计中主要是解决好在生产过程中产生的尘毒源、放射性与噪声、振动等的危害以及采用的防暑、防寒、防冻、防湿设施和生产区的生活卫生设施，要达到国家卫生标准的要求。

12.0.6 现行国家标准《深度冷冻法生产氧气及相关气体安全技术规程》GB 16912 规定，考虑防火以及防止人员窒息、伤害等方面的要求，除空气以外的气体包括氧气、氮气、氩气以及可燃、易燃、有毒、有害等气体严禁在室内排放。

12.0.8 根据《污染源自动监控管理办法》(国家环境保护总局令第 28 号)“第二章　第十一条　新建、改建、扩建和技术改造项目应根据经批准的环境影响评价文件的要求建设、安装自动监控设备及其配套设施，作为环境保护设施的组成部分，与主体工程同时设计、同时施工、同时投入使用”。